Benjamin Lebert

Crazy

Vertaald door Wil Boesten

Uitgeverij Atlas – Amsterdam/Antwerpen

Omslagontwerp: Ben Laloua
Typografie: Arjen Oosterbaan

ISBN 90 450 0288 4
D/1999/0108/673
NUGI 301

'Wij zijn allemaal potentiële romanpersonages, met dit verschil dat romanpersonages zich daadwerkelijk uitleven.'

Georges Simenon

Opgedragen aan Bruno Schnee en Norbert Lebert

1

Hier moet ik dus blijven. Als het even kan tot het eindexamen. Dat is de bedoeling. Ik sta op de parkeerplaats van het internaat kasteel Neuseelen en kijk om me heen. Mijn ouders staan naast me. Zij hebben me hiernaartoe gebracht. Vier scholen heb ik inmiddels achter de rug. En deze hier moet mijn vijfde worden. En op deze vijfde moeten ze het dan eindelijk voor elkaar krijgen van mijn vier voor wiskunde een zes te maken. Ik verheug me er al op.

Van tevoren stuurden ze al allerlei brieven met aanmoedigingen. Allemaal in de trant van: *Beste Benjamin, als je bij ons komt gaat het vast beter. Heel veel jongens en meisjes voor jou is het ook gelukt.*

Natuurlijk. Er zijn altijd zoveel leerlingen, dan is er altijd wel eentje bij die het lukt. Dat ken ik. Bij mij ligt het iets anders. Ik ben zestien en doe op dit moment de tweede over. En het ziet ernaar uit dat ik het weer niet haal. Mijn ouders zijn allebei mensen met een positie. Gezondheidskundige en ingenieur. Die kunnen niet aankomen met een feestje ter gelegenheid van de geslaagde afsluiting van de onderbouw. Dat is niet genoeg. Mij best. Daarom sta ik dus hier. Midden in het schooljaar. Voor de poorten van een internaat. Mijn moeder geeft me een brief. Die moet ik later aan de directeur van het internaat geven. Om nadere informatie te verstrekken over mijn persoon. Ik pak een van de koffers en wacht op mijn vader. Hij staat nog bij de auto en zoekt iets. Ik denk dat ik hem zal missen. Natuurlijk hadden we ook vaak ruzie, maar na een zware dag op school was hij altijd de eerste die me met een glimlach begroette. We lopen de trap op naar het secretariaat. Vanbinnen ziet het internaat er haast nog onsympathieker uit dan vanbuiten. Vreselijk veel hout. Vreselijk oud. Vreselijk rococo of zo. In kunstgeschiedenis ben ik even slecht als in wiskunde. Mijn ouders vinden het een mooi gebouw. Ze zeggen dat de voetstappen fraai klinken op de houten vloeren.

Wat weet ik daar nou van. Op het secretariaat worden we opgewacht door een dikke vrouw. Ze heet Angelika Lerch. Ze staat voor me, met haar enorme lijf en bolle wangen. Ik ben bang. Ze geeft me wat stickers van het internaat. Op allemaal staat een adelaar die lacht en een schooltas draagt. Eronder staat cursief gedrukt: *Internaat Neuseelen – het begin van een nieuw schooltijdperk.*

Ik geef ze later wel aan mijn ouders. Laten ze ze maar in de keuken opplakken of... ach, waar dan ook. Angelika Lerch geeft me een hand en heet me welkom op het kasteel. Zelf is ze er al dertig jaar en heeft nog nooit iets te klagen gehad. Ik besluit daar maar geen antwoord op te geven. Ik ga naast mijn ouders op een roodbruine bank zitten en druk me dichter tegen hen aan dan anders. Zoiets heb ik al lang niet meer gedaan. Maar het is fijn, ze zijn warm en ik voel me beschermd. Ik pak de hand van mijn moeder beet. Mevrouw Lerch zegt dat de directeur zelf zo komt om me te ontvangen. Daarbij trekt ze haar neusvleugels samen. Nu is er dus niets meer aan te doen. Nu zit ik hier en word zo meteen afgehaald. In mijn narigheid kijk ik naar de grond. Maar ik zie de grond niet. Ik zie... ach, dat doet er eigenlijk ook niet toe. Een kleine vijf minuten zit ik hier. Dan komt de directeur van het internaat. Jörg Richter is een jonge man, ik schat hem een jaar of dertig, misschien een beetje ouder. Ongeveer een meter vijfentachtig. Hij heeft een scheiding midden in zijn zwarte haar, zijn gezicht ziet er vriendelijk uit. Hij komt binnen en ploft neer in de eerste de beste stoel. Dan springt hij, alsof hij het vergeten is, weer overeind om ons te begroeten. Zijn hand is klam. Hij vraagt of we mee willen komen naar zijn kantoor. Het ligt niet ver van het secretariaat. Onderweg let ik op de klank van de houten vloeren. Ik vind die niet mooi. Maar wie is daar nu in geïnteresseerd.

We zijn amper aangekomen in het kantoor van meneer Richter of hij geeft me een paar stickers van het internaat. Ze zijn moderner dan die van mevrouw Lerch. De adelaar is beter getekend en heeft meer diepte. Ook de schooltas is mooier.

Toch weet ik niet wat ik ermee moet. Ik stop ze in de handtas van mijn moeder. Jörg Richter vraagt ons te gaan zitten. Zijn kantoor is groot. Groter dan alle kamers die ik hier tot nog toe heb gezien. Groter nog dan de kamer van mevrouw Lerch. Er hangen dure schilderijen aan de muur. De meubels zijn prachtig. Niet slecht toeven hier. 'En Benjamin, al benieuwd naar je kamer?' vraagt meneer Richter en verheft zijn stem. Ik vraag me af wat ik moet antwoorden. Ik zwijg lange tijd. Dan ontsnapt er een schuchter 'ja' aan mijn lippen. Mijn moeder raakt me even aan. O ja, ik ben de brief vergeten. Aarzelend haal ik hem uit mijn zak.

'Ik heb een kort briefje voor u geschreven,' zegt mijn moeder tegen de directeur van de kostschool. 'Het is erg belangrijk. En omdat mijn zoon er zelden over praat, leek het me het beste u te schrijven.' Altijd hetzelfde liedje. Op welke school ik ook zit, het lijkt mijn moeder het beste om te schrijven. Te schrijven. Alsof je zo je problemen uit de wereld kunt helpen. Voor mijn part. Langzaam loop ik naar het grote bureau waarachter Richter zit. Het is van hout, zoals bijna al-

les hier. En bovendien pikzwart. Er ligt niet veel op. Op de
hoek staat een computer. Het logo van de school, de adelaar
met schooltas, is in het bureaublad gegraveerd. Hij is niet
makkelijk te onderscheiden, maar ik zie hem goed. Ik werp
een blik op de envelop: *Betreft de eenzijdige verlamming van
mijn zoon Benjamin Lebert,* staat daar. Hoe vaak heb ik een
leraar al niet zo'n envelop in zijn hand gedrukt? Zeker meer
dan tien keer. En nu doe ik het weer. Jörg Richter graait naar
de envelop. In zijn ogen fonkelt nieuwsgierigheid. Hij maakt
de brief open en tot mijn ontsteltenis leest hij hem hardop
voor. Zijn stem is helder en vol begrip:

> *Geachte heer Richter!*
>
> *Mijn zoon Benjamin lijdt vanaf zijn geboorte aan een spas-
> me van de linker lichaamshelft. Dat betekent dat de linkerzij-
> de van zijn lichaam, met name arm en been, beperkt functio-
> neert. In de praktijk betekent het dat hij handelingen die een
> fijne motoriek vereisen, zoals veters strikken, met mes en vork
> eten, geometrische figuren tekenen, knippen enz. niet of slechts
> beperkt kan uitvoeren. Bovendien heeft hij daardoor problemen
> met sporten, kan hij niet fietsen en leveren bewegingen waar-
> bij het evenwicht een rol speelt, moeilijkheden op.*
>
> *Ik hoop dat u hem zult helpen door hier rekening mee te hou-
> den. Hartelijk dank.*
>
> *Met vriendelijke groet,*
> *Jutta Lebert*

Als het laatste woord is gezegd, doe ik mijn ogen dicht. Ik
verlang vurig naar een plaats waar uitleg niet nodig is. Langzaam loop ik naar mijn ouders terug. Ze staan achter in het
kantoor en houden elkaars hand vast. Je ziet dat ze tevreden
zijn dat ze opheldering hebben verschaft. Jörg Richter kijkt

op. Hij knikt. 'We zullen rekening houden met Benjamins handicap,' zegt hij. Geen vragen.

We gaan de trap op naar mijn kamer. Die bevindt zich op de eerste verdieping. Het is niet ver. We komen door een lange houten gang die uitkomt bij een lange houten trap. De muren zijn sneeuwwit. We lopen achter de directeur aan naar boven. Ik hou mijn vaders hand vast. Al gauw komen we in een andere gang. 'Dit is vanaf nu je thuis,' zegt Jörg Richter. De muren zijn niet langer wit, maar geel. Dat geel is waarschijnlijk lieflijk bedoeld. Maar het mist zijn uitwerking. Op de vloer ligt grijs linoleum, een kleur die niet goed past bij het geel van de muren. De gang is leeg. De leerlingen zijn nog niet terug van de kerstvakantie. Naast een van de ramen is een klein bordje bevestigd: *Deze gang staat onder toezicht van begeleider Lukas Landorf staat erop. Afmelden voor het doen van boodschappen in het dorp, evenals de ontvangst van zakgeld, het bepalen van de bedtijden en permissie voor alle andere dingen lopen via hem. Lukas Landorf is te vinden in kamer 219.*

Meneer Richter wijst naar het bordje. Hij knipoogt. 'Lukas Landorf wordt ook jouw begeleider,' zegt hij. Je kunt het vast goed met hem vinden – hij is zelf nog niet lang hier. Helaas komt hij pas over twee uur terug van vakantie. Maar ik weet zeker dat je nog vaak genoeg met hem te maken zult krijgen.'

Ik kijk waar mijn vader is. Hij staat achter me. Hij is groot van postuur. Hij straalt kracht uit. Ik laat hem met tegenzin gaan.

Mijn moeder is de kamer al binnengegaan. Ik loop achter haar aan. De kamer is klein. In de prospectus zag dat er heel anders uit. De lichtbruine parketvloer is versleten, je ziet er hier en daar gaten in. Tegen elke muur van de kamer staat een bed. De bedden zijn allebei oud. Rustieke stijl. In het midden staat een groot bureau met twee stoelen. Op de ene ligt een kussen met het adelaarsembleem. Tegen de muur twee kasten. De ene is op slot. De andere zal wel voor mij bedoeld zijn. Verder zijn er nog twee nachtkastjes en twee rekjes, die vermoedelijk bedoeld zijn als boekenrek. Vermoedelijk. De muren zijn wit. Alleen boven het linkerbed hangen posters. De meeste hebben te maken met sport of computerspelletjes. Mijn kamergenoot, die ze waarschijnlijk heeft opgehangen, is er nog niet. Mijn vader en meneer Richter komen achter ons aan de kamer binnen. De drie koffers en de tas worden op de grond gezet. Ik denk aan Lerch, de secretaresse. Dertig jaar tussen deze muren. Richter doet een van de lades van het bureau open en diept een klein bordje, vier punaises en een hamer op. Dan gaat hij de kamer uit en spijkert het bordje op de deur. Later lees ik:

Dit is kamer 211, bewoners Janosch Alexander Schwarze (3e kl.) en Benjamin Lebert (2e kl.)

Nu is het dus officieel. Ik blijf hier. Als het even kan tot het eindexamen. Mijn ouders gaan. We nemen afscheid. Ik zie ze de gang aflopen. Ik hoor het kraken van de deur. De stappen op de houten vloer. De trap. Meneer Richter vergezelt ze. Hij heeft beloofd dat hij zo terugkomt. Hij moet met mijn ouders over de financiën praten. En daar heb ik natuurlijk niks mee te maken. Hopelijk zie ik ze gauw weer. Ik pak de tas en begin uit te pakken. Ondergoed, sweatshirts, pullovers, jeans. Waar is mijn geruite shirt verdomme?

Janosch zegt dat het eten slecht is. Erg slecht zelfs. En dat zeven dagen per week. Hij staat in de badkamer en wast zijn voeten. Ik wacht. Alle wastafels zijn al bezet. Het is een grote badkamer met zes wastafels en vier douches. Alles is be-

tegeld. Alles is bezet. Samen met mij wachten er nog vijf leerlingen. De rest slaapt.

Het water stroomt over de vloer. Er is geen douchegor-
dijn. Mijn voeten worden nat. Hopelijk ben ik gauw aan de
beurt.

Maar het duurt nog even. Janosch drukt een puistje uit.
Daarna handen wassen. Als ik aan de beurt ben, zie ik niks.
De spiegel is beslagen. Dat komt door het douchen. Lekker.
Janosch wacht op me. Ik besluit me te haasten. Ik poets snel
mijn tanden en was mijn gezicht. Daarna droog ik mijn handen af. We verlaten samen de wasruimte. Die ligt maar tien
meter van onze kamer vandaan. We lopen over de gang. Hij
wordt de hoerenvleugel genoemd of ook wel de Landorf-
gang. Naar de begeleider. Hier wonen zestien leerlingen van
verschillende leeftijden. Van dertien tot negentien. Verdeeld
over drie drie-, drie twee-, en een eenpersoonskamer. Die
eenpersoonskamer is voor een wel heel heftige figuur. Troy
heet hij. Zijn achternaam weet ik niet meer. Janosch vertelt
vaak over hem. Dat hij ongelooflijk raar is. En dat hij hier al
lang is. Heel lang zelfs.

Onze begeleider Lukas Landorf loopt door de hoerenvleugel. Hij ziet er niet uit. Zijn zwarte, ongekamde haar
hangt wild over zijn voorhoofd. Zijn bril is ouderwets. Hij
is iets groter dan ik. Niet veel. Janosch zegt dat Landorf nooit
een andere pullover aanheeft dan die groene. Hij is gierig.
Zo gierig als de pest, zegt Janosch. Verder is hij wel een re-
delijke vent. Niet te streng. Van feestjes merkt hij nooit iets.
Hij laat zelfs meisjes op de kamers toe. Een slaappil. Andere begeleiders zijn veel waakzamer.

Lukas Landorf komt op ons af. Hij glimlacht. Hij heeft een
jong gezicht. Veel ouder dan dertig kan hij niet zijn. 'En?'
vraagt hij. 'Heeft onze goede Janosch je alles al laten zien?'

'Ja,' antwoord ik, 'alles.'

'Behalve de bibliotheek,' zegt Janosch. 'Die zijn we vergeten. Mag ik hem die nog laten zien?'

'Nee, mag je niet. Morgen is een drukke dag. Maak dat jullie in bed komen.' Met die woorden loopt Landorf verder. Hij heeft een onvaste manier van lopen. Hij is nu alweer aan vakantie toe. Ik ook. Deze keer waren het alleen een paar dagen Zuid-Tirol. Meer niet. Een kleine ruzie met mijn oudere zus Paula meegerekend. Maar het was een paradijs. Nu weet ik dat.

We gaan onze kamer binnen. Janosch wil met me praten. Het gaat om een meisje op wie hij verliefd is geworden. Je wordt hier wel rap opgenomen. Ik ben hier nou een uur of zeven en moet me nu al met meisjes bezighouden. Terwijl ik daar eigenlijk helemaal het type niet voor ben.

En dat niet alleen vanwege mijn handicap. Nee. Ik heb met meisjes tot nog toe precies evenveel geluk gehad als met school. Helemaal geen dus. Alleen als toeschouwer had ik altijd geluk. Als toeschouwer die zag hoe anderen de meisjes op wie ik verliefd was, aan de haak sloegen. Daar was ik echt goed in. Janosch praat maar door. Ik heb echt met hem te doen. Hij heeft het over bossen bloemen, stralend licht en onvoorstelbaar grote borsten. Ik haal me dat allemaal precies zo voor de geest en val hem vurig bij. Zo'n meisje is echt te gek. Ik ga op mijn bed zitten. Mijn linkerbeen doet pijn. Dat doet het altijd 's avonds. Al zestien jaar lang doet mijn linkerbeen pijn. Mijn gehandicapte been. Hoe vaak heb ik het er al niet gewoon af willen hakken? Afhakken en weggooien, samen met mijn linkerarm. Waar heb ik ze ook voor nodig? Alleen om te zien wat ik niet kan: rennen, springen, gelukkig zijn. Maar ik heb het nooit gedaan. Misschien heb ik ze nodig om wiskunde te leren.

Of om te neuken. Ja, vermoedelijk heb ik dat klote linkerbeen nodig om te neuken. Janosch is inmiddels bij een ander onderwerp aanbeland. Het gaat over toen hij klein was. Hij heeft het erover dat het leven vroeger mooier was dan nu. En dat het te gek zou zijn om weg te lopen uit het internaat. Gewoon zomaar. Om vrij te zijn. Dat lijkt Janosch het einde. Ik weet niet wat ik daarop moet antwoorden. Ik ben nog niet lang genoeg hier. Maar lopen wil ik wel. Dat weet ik. Ver, ver lopen. We roken een sigaret. Dat is eigenlijk verboden. Maar dat doet er nu niet toe. Janosch heeft hem voor me aangestoken, met een lucifer. Zelf kan ik dat niet. Daar heb je twee handen voor nodig. Als Lukas Landorf er aankomt, gooien we de sigaretten uit het raam. We zitten daarvoor allebei in de juiste houding. Het raam staat wijd open. Janosch kijkt me aan. Hij ziet er moe uit. Zijn donkerblauwe ogen tranen. Zijn geblondeerde haardos zakt steeds vaker richting dekbed. Janosch komt overeind, drukt zijn sigaret uit tegen de vensterbank buiten en gooit hem omlaag op de donkere parkeerplaats. Een paar uur geleden nog stond ik daar beneden. Nu sta ik hier. Midden in het leven. Misschien is dat maar goed ook. Ook ik gooi mijn sigaret naar buiten. Dan gaan we slapen. Of beter gezegd, dat proberen we. Janosch vertelt over Malen, het meisje. 'Ze is ontzaglijk kostbaar,' zegt hij. Dat imponeert me. De meeste jongens die ik ken zeggen andere dingen over hun meisjes. Janosch zegt alleen dat ze kostbaar is. Meer niet. Dat is okay. Ik hoop voor hem dat het lukt met Malen. De nacht is helder en er is geen maan. Zoals zo vaak zit ik bij het raam.

Moe ga ik rechtop zitten. Ik heb een vermoeiende nacht achter de rug. Weinig slaap. Eeuwig zitten wachten. Buiten wordt het licht. Misschien is dat een teken. Misschien ook niet. Wie zal het zeggen.

De wekker loopt af. Het is een rotgeluid. Het klinkt als *eerste schooldag*. En het klinkt als *wiskunde*. Vermoedelijk klinkt het ook als een *vier*. Maar daar is nu nog niks van te horen. Ik zet de wekker af. De zwarte spijkerbroek en het witte *Pink Floyd – The Wall*-T-shirt liggen klaar. Die heb ik gisteren al op mijn helft van het bureau gelegd. Mijn moeder heeft ze allebei voor me ingepakt. Helemaal bovenop, naast mijn schoolboeken. Als dat geen toeval is! Ik kleed me aan. Ik heb nog de tijd tot het ontbijt. De weg weet ik al. Janosch heeft hem me gewezen. Hij slaapt nog. Misschien moet ik hem wakker maken. Op verslapen staan pittige straffen, heb ik gehoord. Maar ik denk dat hij dat zelf ook wel weet. In mijn broekzak vind ik een briefje. Ik herken de krulletters van mijn vader:

Lieve Benni,
Ik weet dat je een moeilijke tijd doormaakt. En ik weet ook dat je nu in veel dingen op jezelf bent aangewezen. Maar je moet maar denken dat dit het beste voor je is. Hou je taai!
Papa

Hou je taai. Dit is het beste voor je. Mooi gezegd. Echt mooi. Ik mag niet klagen. Ik ga die brief bewaren. Misschien kan ik hem ooit aan mijn kinderen laten zien. Dan kunnen ze zien wat voor vent hun vader was. Wat voor enorme vent hij was. Ik stop het briefje weer in mijn broekzak. Dan ga ik op weg naar het ontbijt. De eetzaal ligt aan de andere kant van het kasteel. Ik loop over de hoerengang, daal de eindeloos lijkende trappen naar de hal af en kom uiteindelijk bij het kantoor van de directeur. Daarna loop ik de gang door waar we welkom geheten werden, kom langs de kamer van mevrouw Lerch en daal de trap af naar de westelijke vleugel. De trap van de westelijke vleugel is oud, het hout kraakt en knarst bij elke stap, alsof het erom smeekt meteen bevrijd te worden van zijn last. De eetzaal is een gigantische ruimte. Hij biedt plaats aan minstens zeventien tafels. En aan elke tafel kunnen minstens acht leerlingen zitten. Aan de met kostbaar hout betimmerde muren hangen heuse schilderijen. Met oorlogen erop en vrede, en liefde en, hoe kan het ook anders, adelaars die een schooltas dragen. Ik ga aan een tafel zitten die een beetje in de hoek staat, er zit alleen een jongen uit de eerste aan. Het broodje smaakt droog. Iedere poging om er boter op te smeren, strandt op mijn onvermogen het met mijn linkerhand vast te houden. Ook na verschillende pogingen lukt het me niet. Het broodje vliegt dwars over de tafel heen. Een paar meisjes aan een van de tafels tegenover, die de hele onderneming hebben gevolgd, giechelen. Ik schaam me. Snel pak ik het broodje weer. Ik vraag de eersteklasser of hij het voor me wil smeren. 'Hoe oud ben je, eigenlijk?' vraagt hij. 'Zestien,' antwoord ik. 'Op je zestiende hoor je toch te weten hoe je een broodje smeert,' constateert hij. Hij geeft het me ongesmeerd terug. De meisjes giechelen. Ik drink thee.

'Op je zestiende hoor je toch te weten hoe je een geodriehoek moet vasthouden,' constateert Rolf Falkenstein, de wiskundeleraar. Hij geeft hem mij terug, hij heeft me niet geholpen met het tekenen van het bewijs bij een stelling over congruentie. Pech. Daar zit ik dan op mijn eerste schooldag. Ik schud mijn hoofd. En dat terwijl het eigenlijk zo goed was begonnen. De eerste uren, Frans en Engels, waren goed gegaan. Ik had mijn beroemde introductie-aria, die ik zo ver afschuw, achter de rug. Het was het oude liedje. Voor de klas gaan staan, niet weten waar je je handen moet laten en zeggen:

Hoi, Ik heet Benjamin Lebert, ik ben zestien en ik ben een mankepoot. Het is maar dat jullie het weten. Ik denk dat we daar allemaal baat bij hebben.

De klas waar ik nu in zit, 2b, reageerde best behoorlijk: een paar steelse blikken, wat gegiechel, een voorlopige, snelle inschatting van mijn persoon. Voor de jongens was ik nu gewoon een van die eikels waar je geen rekening mee hoefde te houden en voor de meisjes was ik simpelweg dood. Dat had ik bereikt.

De lerares Frans, Heidi Bachmann, zei dat het er op Neuseelen niet toe deed of iemand een handicap had of niet. Op Neuseelen ging het om liefdevol en consequent gehanteerde waarden en sociale vaardigheden. Goed om te weten. Groot is klas 2b niet: twaalf leerlingen. Ik inbegrepen. Op de openbare scholen is dat wel anders. Daar zijn het er altijd zo'n vijfendertig. Maar die hoeven dan ook niet te betalen. Wij betalen hier. En niet te weinig. Als een grote familie zitten we in carré voor de leraar. We houden zowat elkaars hand vast, zoveel houden we van elkaar. Echt kostschool. Eén groep, één vriendschap, één familie. En Rolf Falkenstein, de wiskundeleraar, is onze papa. Het is een grote vent. Bijna één negentig. Hij heeft een bleek gezicht met hoge jukbeenderen. Een van die mannen bij wie de leeftijd op het gezicht staat te lezen. Vijftig. Geen jaartje meer of minder. Falkenstein heeft vettig haar. Je herkent de kleur amper. Ik neem aan dat het wel grijs zal zijn. Hij heeft lange, onverzorgde nagels. Ik ben een beetje bang voor hem. Bars kwakt hij zijn grote geodriehoek tegen het bord. Hij trekt een streep. Midden door een geometrische figuur. Ik geloof dat het een rechte moet voorstellen of zoiets. Ik probeer hem na te tekenen. Maar het lukt niet. Mijn geodriehoek glijdt steeds weer weg. Ten slotte doe ik het uit de hand. Het resultaat ziet er grappig uit. Het lijkt meer op een gelukswimpel dan op een rechte. Na de les neemt Falkenstein me even apart. 'Je hebt bijles nodig,' zegt hij. 'En naar mijn bescheiden mening minstens een uur per dag.' Ik voel een grote blijdschap in me opkomen. 'Okay, als het moet.' Ik ga weg.

2

's Middags ga ik met de jongens het dorp in. Dat is niet ver. De huiswerkklas begint vandaag pas later. Zelfs Troy is meegegaan. Zwijgend waggelt hij achter ons aan. Af en toe draai ik me naar hem om.

'Troy, wat doe je?' vraag ik.

'Niks,' antwoordt hij.

'Maar je moet toch iets doen!'

'Nee, dat moet niet,' zegt hij.

Ik laat hem met rust. Zijn grote gedaante blijft achter me. Vanuit mijn ooghoeken zie ik zijn zwarte stekeltjeshaar. We blijven staan om te roken. Ze doen allemaal mee: Janosch, dikke Felix, dunne Felix, Troy en ook kleine Florian uit de eerste, die ze allemaal alleen met *meisje* aanspreken. 'En hoe was je eerste schooldag?' vraagt hij. Hij trekt aan zijn sigaret, zijn ogen tranen. Hij moet hoesten.

'Ging wel,' antwoord ik.

'Ging wel betekent klote, of niet?' vraagt hij.

'Ging wel betekent klote,' bevestig ik.

'Bij mij ging het ook wel,' zegt hij. 'Dat mens van Reimanntal wil dat ik drie keer het reglement overschrijf.'

'En doe je dat?' vraag ik.

'Zie je me daar voor aan?'

Nee, daar zie ik hem niet voor aan. Zijn groene ogen schieten vuur. Hij kijkt kwaad. Zijn donkerbruine haar is in de war. Hij kijkt in de verte. Op zijn voorhoofd verschijnen rimpels.

Ik moet aan thuis denken. Het mooiste thuis van heel München. Het is goed een uur rijden hiervandaan. Niet ver en toch onbereikbaar. Eigenlijk is het niet zo bijzonder. Een klein gebouw van blauwe baksteen aan een vlakke, smalle straat. Omringd door twee speelweiden. Meer niet. Toch is het het mooiste thuis van München. Wat zou ik nu doen, als ik niet op kostschool zat, maar daar? Lezen, schrijven, een beetje slapen. Mijn moeder helpen met de afwas misschien. Of Paula, mijn lesbische zus, helpen met haar nieuwste verovering: Sylvia, de dochter van de buren. Dan zouden we natuurlijk wel heel voorzichtig moeten zijn, want het zou niet zo best zijn als mijn ouders het in de gaten kregen. Die zijn erg gevoelig op dat gebied. Maar helaas ben ik niet thuis. Ik zit in het internaat, of beter gezegd, op een trap in het dorp.

Ik zit hier te praten met Florian, die ze allemaal alleen met *meisje* aanspreken. Hij trekt weer aan zijn sigaret. Hij hoest. Harder deze keer. Janosch komt naar ons toe.

'Het arme meisje kan nu eenmaal niet zoveel hebben,' zegt hij. 'Maar daarom niet getreurd. Wat niet is kan nog komen.' Hij lacht. Hij gaat naast me op de trap zitten en trekt een blik Warsteiner-bier open. We hebben Troy op wacht gezet. Hij staat daarginds bij de vlierstruik. Als er een leraar of een begeleider aankomt, slaat hij alarm. Anders krijgen we pittige straffen. Misschien zelfs een week huisarrest. Je weet maar nooit. Roken en drinken worden meestal het zwaarst bestraft. Janosch tikt op mijn schouder. 'Wat is er?' vraagt hij. 'Maak je je weer druk over die stomme handicap van je? Je moet daar niet zo zwaar aan tillen. We hebben allemaal een handicap. Neem nou Troy! Bovendien had je er nog veel erger aan toe kunnen zijn. Vanwege die verlamming aan je linkerkant hoef je het echt niet in je broek te doen!'

'Ik dacht helemaal niet aan mijn handicap,' zeg ik. 'Ik dacht aan thuis. Maar evengoed bedankt.'

'Aan thuis hè?' vraagt Janosch. 'Dan kan ik helaas ook niks

voor je doen. We willen allemaal naar huis. Maar dat gaat nu eenmaal niet. We moeten hier blijven. We zijn allemaal stukjes vlees in een blik Chappi. We zitten allemaal in dezelfde kutzooi. En dikke Felix daar is verreweg het dikste stuk.' Ik sta langzaam op. Ik loop naar dikke Felix toe. Hij is beledigd. 'Trek het je niet aan,' zeg ik. 'Hij meent het niet.'

'Natuurlijk meent hij het niet,' zegt Felix. 'Maar laat hem eens een keer zijn bek houden. Ik kan er toch ook niks aan doen dat ik zo dik ben. En ik weet zeker dat onze goede vriend Troy daarginds er ook niks aan kan doen dat hij nooit een stom woord zegt. Zo zijn wij nu eenmaal.'

'Klopt,' zeg ik.

'Weten jullie wat ik denk?' oppert dunne Felix op dat moment.

'Nou, wat denk je?' vraagt Janosch.

'Ik denk dat we allemaal helden zijn.'

'Helden?' herhaalt Florian, die ze allemaal alleen met *meisje* aanspreken.

'Waarom nou juist helden?'

'Omdat de meiden op ons vallen,' antwoordt Felix. 'Dik, lam, stom, dom. Dat zijn toch precies de types waar meiden op vallen, of niet soms?'

'Ik heb er nog niet veel van gemerkt,' antwoordt dikke Felix. 'Meiden vallen op grote, blonde kerels, die iets klaarspelen en in een film zouden kunnen meedoen. Zoals Mattis bijvoorbeeld. Denk je nou heus dat meiden op zo'n dikzak als ik vallen?'

'Mattis, dat is toch een serpent,' gromt Janosch. 'Dan kunnen ze beter op zo'n dikzak als jij vallen. Of op Benni. Moet je Benni nou eens zien. Dat is toch het type waar meiden op geilen, of niet? Bruin kort haar, blauwe ogen, niet dik. De geboren vrouwenjager.'

Eventjes sta ik in het middelpunt van de belangstelling. 'Weten jullie veel,' zeg ik en kijk daarbij naar mezelf. Ik heb nog steeds het *Pink Floyd – The Wall*-T-shirt aan en mijn zwarte spijkerbroek. Aan mijn voeten Puma-discs met draaisluiting. Ooit waren ze wit. Nu zijn ze ergens tussen grijs en zwart. Het zijn de enige schoenen die ik aan kan. Ik kan namelijk geen veters strikken. Janosch zegt dat ik het daarom nog niet in mijn broek hoef te doen. Maar toch voel ik me niet op mijn gemak op die schoenen. Misschien is dat alleen een kwestie van wennen. Ik neem een slok bier.

We lopen naar beneden, naar het dorpsplein. Ik heb eigenlijk met allemaal te doen. Met alle vijf. Neem nou dikke Felix. Enig kind uit een asociaal gezin, zoals Janosch zegt. Nooit veel vrienden gehad. Alleen zijn snoep. En daar is hij aan verslaafd. Iedereen noemt hem 'Bolle' of 'Obelix'. Hij haat dat soort benamingen. Maar kan er niks tegen doen. Ze achtervolgen hem al vanaf het begin van zijn schoolloopbaan. En zullen hem nog steeds achtervolgen, als hij met zijn diploma thuiskomt. En dat zal er ongetwijfeld van komen. Want dikke Felix kan goed leren, haalt elk jaar met gemak een 8,5 gemiddeld. Hij is zelfs goed in wiskunde, zegt Janosch. Maar je moet hem niet vragen voor bijles. Ze zeggen dat hij snoep vraagt als beloning. Maar dat is niet bewezen. Verder is Felix een aardige vent. Hij heeft de pest aan oorlog en vechten. Misschien ook wel omdat hij steeds aan het kortste eind trekt.

Naast Felix loopt kleine Florian, die ze allemaal alleen met *meisje* aanspreken. Hij is onvoorstelbaar zachtaardig en zeer gevoelig, zegt Janosch. Op zijn zesde heeft hij zijn ouders verloren bij een auto-ongeluk. Sindsdien praat hij erg weinig en meestal alleen als hij moet. Hij is hier al sinds zijn tiende en in de vakanties gaat hij naar zijn oma in Hohenschäftlarn, die hem dan bedelft onder haar uitbundige en haast ondraaglijke liefde. Hij is een van de weinige leerlingen hier die geen rijke ouders of familie hebben Hij heeft zijn verblijf hier enkel en alleen aan de kinderbescherming te danken. Maar hij heeft zich toch goed aangepast.

Over dunne Felix is bijna niks te vertellen. Hij is net zo nieuw als ik. Drie weken geleden aangekomen. Sindsdien heeft hij zich min of meer aan de groep opgedrongen, zegt Janosch. Hij is een aardige gozer en heeft nog nooit iemand kwaad gedaan.

Troy ten slotte omschrijft Janosch als het oergesteente van Neuseelen. Hij zit nu in de zesde klas. Acht jaar heeft hij er hier al op zitten. Zijn leven bestaat uit zwijgen. Niemand weet wat er zich achter zijn voorhoofd afspeelt. Ze zeggen dat hij een broer heeft die op sterven ligt. Meer is er niet bekend. Niks over zijn ouders. Niks over zijn familie.

Blijft over Janosch zelf. Mijn kamergenoot. De jongen uit de derde met gevoel voor humor. Hij lacht en buldert de hele tijd. Over zijn familie weet ik niks. Dikke Felix zegt dat Janosch' vader beursmiljardair is. Maar dat is niet zeker. Misschien kom ik er nog een keer achter.

We lopen over de markt. Hij is bijna leeg, vandaag maken maar weinig kramen winst. Florian koopt bier. Hij past op dat hij niet door een begeleider betrapt wordt. Hij laat het blik gauw in een plastic tas verdwijnen. Dan loopt hij naar ons terug. 'Ik heb gehoord dat er net een sekstherapeute rondtoert,' zegt hij. 'Ze schijnt op dit moment hier in het dorp te zijn neergestreken, in de praktijk van dokter Beerweiler. Je schijnt haar op elk moment te kunnen spreken. Ik verwed er mijn bierpul onder dat jij niet naar haar toe durft, Janosch.'

'Wat moet ik bij haar,' bromt hij. 'Mijn seksleven is klote

en zal altijd klote blijven. Daar verandert zo'n sekstrien ook niks aan.'

'Je hoeft helemaal niet veel te zeggen,' antwoordt Florian.

'Je zegt gewoon dat je homo bent. En dat je begeleider daar niet zo enthousiast over is.'

'Zou hij ook niet zijn,' merkt dikke Felix op.

'Bovendien,' gaat Florian verder, 'bedenk eens wat het je oplevert. Je wilde toch altijd al zo'n bierpul hebben. Daarvoor kun je jezelf toch best voor schut zetten, of niet?'

'Meisje, je bent een rukker!' Janosch brult van het lachen.

'Weet ik,' zegt Florian. 'Maar ik ben tenminste geen homofiele rukker.'

En dus gaan we op weg naar de praktijk van dokter Beerweiler. Die ligt aan de andere kant van het dorp. We moeten heel wat straten en stegen door. Die zijn smal. Auto's kunnen er amper doorheen. Pas bij de kapel van Neuseelen wordt het weer beter. Hier is het druk. De jongens zijn opgewonden. Ze praten allemaal door elkaar en spuien hun voorstellen en adviezen. Alleen Janosch blijft cool. Hij trekt aan zijn sigaret. Hem lijkt helemaal niks van zijn stuk te kunnen brengen. We komen bij het pand waarin de praktijk gevestigd is. Het is een bizar gebouw. Jugendstil. De ramen zijn beslagen. Buiten ruikt het al naar de dokter. Rechts hangt een koperen bordje.

Praktijk dr. Josef Beerweiler

Spreekuur: Ma-vr 8:00 tot 14:00 uur staat erop.

Eronder hangt een folder waarop staat:

Seks en zo

Consultatiebureau voor jongeren en volwassenen die plezier hebben in seks.

Van 3 tot 12 januari zijn we neergestreken in de praktijk van dr. Beerweiler.

Spreekuur ook zonder afspraak, acht uur per dag.

Naast de tekst is een jongen getekend. Hij houdt zijn geslachtsdeel vast en lacht. Erboven een tekstballon: *Ook homofielen zijn bij ons hartelijk welkom.* Florian, die ze allemaal alleen met *meisje* aanspreken, wijst naar de tekstballon. 'Zie je,' zegt hij, 'hier is onze Janosch aan het juiste adres.' En hij duwt hem door de deur naar binnen. We lopen achter hen aan. De praktijk is op de begane grond. We hoeven geen trappen te lopen. Dat doet me deugd. Trappen lopen betekent altijd pijn hebben. En ik heb nu geen zin in pijn. Janosch belt aan. De deur gaat vanzelf open, met een hard krakend geluid. We gaan naar binnen. We worden verwelkomd door een gladde, blauwe vloerbedekking, aan de randen ervan rijzen stralend witte muren op. Het ruikt naar de dokter. We moeten door een lange gang voor we bij de receptie komen. Er zit een jonge vrouw achter een bureau, blond, met crème op haar gezicht en een zilverkleurige bril.

'Kan ik u helpen?' vraagt ze. Ze kijkt boos. Ze maakt een gestreste indruk. Janosch doet een stap naar voren.

'Wij... ik wilde graag naar het consultatiebureau Seks en zo.'

'Tweede deur links,' zegt ze met stemverheffing.

Ze is erotisch. Ik ben blij dat ik haar heb ontmoet. Ik besluit hier nog een keer alleen langs te gaan. Misschien wel een beetje beter gekleed. En misschien met een bloemetje of zo. Maar later pas, nu nog niet. We komen bij een bruine deur. *Seks en zo* staat er op. Dikke Felix lacht. Hij krijgt rode oren. Hij is zenuwachtig.

'Heeft iemand van jullie toevallig iets te vreten?' vraagt hij. 'Ik bedoel maar, ik zou nu wel iets kunnen gebruiken.'

'Hou je bek, Bolle,' klinkt het van alle kanten. Janosch klopt. Een sierlijke stem geeft antwoord.

'Binnen,' zegt ze.

Ik schat de stem drieënveertig. Misschien ietsje jonger. We gaan het kleine vertrek binnen. Alles staat dicht op elkaar. Er is amper plaats voor ons. Achter een roodbruin bureau, het is mooi van vorm en zou ook goed in mijn kamer op het internaat staan, zit een blonde vrouw. In haar gezicht heeft ze een paar rimpels. Ze moet echt drieënveertig zijn. Haar ogen hebben een merkwaardige kleur groen. Ze vallen op. Verder is ze iemand met een lichte huid. Voor haar bureau staan drie stoelen van zwart leer. Aan de muur hangen pornoplaatjes. Op de meeste gaat het recht op en neer. Er zijn er ook met vrouwen die de een of andere gespierde man pijpen. Dunne Felix en ik voelen ons er meteen door aangetrokken. De blonde dame staat echter op.

'Ik heet Katharina Westphalen,' zegt ze. 'We zullen elkaar nog wel beter leren kennen. Komen jullie van het internaat Neuseelen?'

'Ja,' antwoordt dikke Felix, die onafgebroken met grote ogen naar de pot met winegums staart die op een van de twee bijzettafeltjes staat.

'Zou ik er daar een van mogen nemen?' vraagt hij beleefd.

'Ja natuurlijk,' antwoordt Westphalen.

Janosch en ik schudden ons hoofd

'En wat hebben jullie op je hart?' vraagt Westphalen.

Janosch draait zich naar Florian.

'De bierpul is voor mij?' vraagt hij fluisterend.

'De bierpul is van jou,' bevestigt Florian.

'Eigenlijk heb alleen ík iets op mijn hart,' zegt Janosch tegen Westphalen. Ook hem is nu het bloed naar het hoofd gestegen.

'Hoe heet je?' vraagt ze.

'Janosch,' antwoordt hij.

'En wat heb je dan op je hart?'

Dikke Felix staat te grinniken. Hij propt juist een wine-gum naar binnen. De spanning stijgt. Iedereen staart naar Janosch.

'Eh,' antwoordt hij ten slotte. Hij kijkt om zich heen. 'Ik ben homo en zou graag seks hebben met Troy.' Daarbij wijst hij naar hem. 'Maar ik ben bang dat onze begeleider ons betrapt. Hoe zou hij daarop reageren? Of beter gezegd, hoe moet een begeleider daarop reageren? Met schorsing? Met drie weken tafelcorvee? Waarom mogen homo's verdomme niet gewoon homo zijn? Nietwaar Troy?'

Janosch is ontegenzeglijk in topvorm. Hij heeft die bierpul echt verdiend. Het kan hem niks schelen wat mevrouw Westphalen van hem denkt. En het kan hem ook niet schelen of ze hun begeleider opbelt. Nu is hij de bink. Hij heeft een pul gewonnen en zijn vrienden zullen daarom voor altijd dol op hem zijn. Dus wat kan hem gebeuren?

'En wat vind jij daarvan Troy?' vraagt Westphalen.

Troy zwijgt.

'Schaamt hij zich ervoor?' vraagt ze nu weer aan Janosch.

'Natuurlijk schaamt hij zich. Ik bedoel, moet u eens naar hem kijken! Wie zou zich dan niet schamen?'

Troy doet een stap naar rechts. Hij ziet blauw en paars van woede. Hij knijpt zijn ogen dicht. Het liefst zou hij het uitschreeuwen. Dat zie je. Maar hij kan het niet. De schreeuw sterft binnen in hem weg. Dikke Felix gaat naar hem toe.

'Trek het je niet aan,' zegt hij. Dezelfde woorden die ik tegen hem had gezegd. Misschien helpt het. Troy zwijgt nog steeds. Maar zijn gezicht klaart een beetje op. Dat is tenminste iets. Janosch merkt niks van dat alles. Hij luistert met smaak naar de raadgevingen en voorstellen van Westphalen. Hij grinnikt.

Een halfuur later, als alles achter de rug is en we allang weer op de markt staan, klinkt de stem van dikke Felix.

'Mag ik jullie eens iets vragen?'

'Vraag maar raak!' antwoordt Janosch.

'Waarom hebben we dit gedaan?'

'Omdat Janosch mijn bierpul wilde hebben,' antwoordt Florian. 'Dat weet je toch wel.'

'Jouw bierpul,' herhaalt Felix. 'Alleen vanwege die stomme bierpul van jou? Dan hadden we net zo goed helemaal niks kunnen doen.'

'Helemaal niks doen zou saai zijn,' antwoordt Janosch. 'Stel je voor! De hele tijd rondhangen? Nee, dan ga ik liever luisteren naar wat die Westphalen te melden heeft. Ook al gaat het alleen maar om een achterlijke bierpul. Ik denk dat God het ook zo heeft gewild.'

'God heeft dat vast niet zo gewild,' antwoordt dikke Felix. 'Denk je nou echt dat God wil dat wij naar een sekstherapeute gaan?'

'Ja, natuurlijk wil hij dat. We zijn toch jong. En jongeren moeten er toch ooit een keer achter komen hoe je neukt.'

'God geeft niet om neukers,' werpt Felix tegen.

'Maar om onanisten wel?' wil andere Felix weten.

'Anders heb ik het namelijk behoorlijk verknald voor mezelf.' Hij lacht. Ze lachen allemaal. Zelfs ik lach. Terwijl ik de discussie eigenlijk helemaal niet zo grappig vind. Je ziet dat Felix het serieus meent.

'Je gelooft toch niet echt in zo'n man met baard in de hemel, hè?' vraagt Janosch.

'Jawel,' antwoordt dikke Felix. 'Daar geloof ik in. En hij is vast aardiger dan jij. Hij verneukt de mensen namelijk niet. Voor hem is iedereen gelijk. Terwijl jij de spot drijft met iedereen. Kijk maar naar Troy en mij.'

'Ik drijf de spot met iedereen,' herhaalt Janosch. Het is de eerste keer dat hij wordt aangevallen. Hij zucht. 'Dat mensen nou nooit doorhebben wanneer ik het serieus bedoel en wanneer ik een geintje maak,' zegt hij.

'Dat zouden ze eigenlijk moeten doorhebben,' zegt Felix. Hij knijpt zijn neusvleugels bijeen. 'Nietwaar Troy?'

Ik zit op de plee en knijp mijn ogen dicht. Ik heb diarree. Misschien van het eten. Misschien als aandenken aan een vermoeiende dag. Ik weet het niet. Steeds vaker rukken ze de deur open. Ze gooien wc-papier bij me naar binnen.

'Racekak, racekak!' klinkt het buiten spottend. Ze zingen. Ik heb nog vijf minuten voor de huiswerkklas begint. Dat red ik nooit. Nou ja, dan krijg ik maar heibel. Ik kan er ook niks aan doen.

Ik haat de wc van de hoerenvleugel. Maar het is de enige die we hebben. Hij is oud en kan niet op slot. De tegels zijn er haast allemaal uitgebroken. Op de grond staan plassen urine. De leerlingen van Landorf kan het niet schelen waar ze pissen. Als ze tijd hebben, pissen ze nog tegen het plafond. Dat is leuk.

Vandaag surveilleert Heidi Bachman, de lerares Frans. Ze kijkt even op als ik binnenkom. Ze was verdiept in een boek.

'Dat is niet zo fraai om op je eerste dag te laat in de huiswerkklas te verschijnen,' zegt ze. Ze heeft een hese stem. Haar bruine haardos schommelt. Haar ogen fonkelen.

'Weet ik,' antwoord ik, 'het spijt me ook, maar ik...'

'Ga zitten!' zegt ze. En ze schrijft iets in het klassenboek.

'Halt, niet daar. Bij Malen alsjeblieft!'

Ik doe wat me wordt gezegd. Ik ga bij Malen zitten. Janosch' droom. Ze zit in de hoek van het klaslokaal. Tussen twee eenpersoonstafeltjes geklemd. Aan het ene zit Anna, de vriendin van Malen. Haar lange blonde haar is opgestoken. Ze heeft een bleek, maar vriendelijk gezicht. Ze kijkt naar me op en glimlacht. Ik glimlach terug. Het andere tafeltje is vrij. Daar ga ik zitten. Als ik de stoel achteruitschuif, klinkt er een krassend geluid. Alle leerlingen kijken op. Ook Malen. Ze lacht. Wat een ongelooflijk knap meisje, denk ik. Ik kan Janosch begrijpen. Ze heeft een lichte en tere huid. Een droom van een glimlach.

'Kun jij me soms helpen met wiskunde? vraagt ze. Tegelijkertijd slaat ze haar benen over elkaar. Ik slik. 'Nee, helaas niet. Ik wou dat ik het zelf snapte,' antwoord ik. Malen knikt. Ze draait zich om. Ik kijk naar haar borsten. Tja. Daar gaat mijn kans. Eén-twee-drie weg is ze weer. Zoals altijd. Ik kijk in mijn agenda. Dat belooft nog leuk te worden.

Wiskunde
Natuurkunde
Engels
Frans

En dat allemaal voor morgen. Bovendien nog een spreekbeurt voor Muziek en een voor Duits over het onderwerp jeugd en alcohol. Alsof we nog niet genoeg te doen hebben. Ik ga aan het werk.

Bachmann komt controleren. Ze kijkt boos. Ze gaat op mijn tafeltje zitten. Ik moet onwillekeurig aan mijn oude school denken: Borschtallee 3, Luitpoldpark, München. Het Himmelstoß-gymnasium. Daar heb ik drie jaar op gezeten. Een zware tijd. Mislukt op school en op andere gebieden. Drie of vier goede proefwerken, hooguit. Je stond er daar helemaal alleen voor. Maar je kon naar huis. Na al die klotezooi die 's ochtends over je werd uitgestort. Geen huiswerkklas daar. En geen Bachmann. Om één uur mocht je naar huis. Naar je moeder. Huilen. Lachen. Hopen. Hier kun je dat niet. Hier moet je blijven. Blijven tot je een ons weegt. En dat duurt eeuwig. Malen staat op. Ze wil iets door mevrouw Bachmann laten aftekenen. Ze komt met haar opengeslagen wiskundeschrift naar mijn tafeltje. Ze heeft haar lange, tot op de schouders hangende, blonde haar achterovergekamd. Haar rode bloes laat weinig te raden over. Haar korte rok ook. Ze buigt zich over mijn schouder. Ik voel me fantastisch. Als ik een man was, zou er misschien iets meer nodig zijn om onder de indruk te raken. Maar ik ben een jongen. En voor een jongen is het voldoende als ze zich simpelweg over hem heen buigt. Bachman zet haar paraaf onder de wiskundesom. Ik wou dat ik ook al zover was. Maar ik heb nog een bewijs voor een stelling over congruentie voor de boeg.

'Ik heb de indruk dat je heel aardig gewend bent,' zegt Bachmann. Ze bijt op haar nagel.

'Ja, ben ik ook. Gaat best wel tot nu toe.' Ik moet aan mijn ouders denken en aan Janosch.

'Mooi,' antwoordt ze. 'Maar het zou toch beter zijn als je de volgende keer op tijd kwam. Op den duur kan zoiets heel vervelend worden.'

Dat zal best. Haar achterste waggelt terug naar de lessenaar. Ik kijk haar na. Dan stort ik me op mijn congruentiebewijs.

3

Bij het avondeten krijgen we puddingbroodjes. Lekker. Veel leerlingen uit de hoogste klassen zijn naar een kunsttentoonstelling. Dus blijft er meer over voor ons. Dikke Felix heeft extra zakjes meegebracht. Hij wil een paar broodjes mee naar boven nemen. De zakjes verstoppen we onder de tafel. We halen met regelmatige tussenpozen een extra portie. Het valt niet op. Florian heeft zelfs een beetje cacao opgescharreld. Dat lukt haast nooit, zegt Janosch. Er is fruit toe. We zijn verrukt. Ook Troy lacht. Hij neemt nog een broodje. Buiten sneeuwt het. De hagelstenen kletteren tegen de ruiten. Het maakt veel lawaai.

'En, vrienden,' vraagt Janosch, 'gaan we vannacht naar de meisjes? Hij draait zich om naar begeleider Lukas Landorf die aan de tafel tegenover ons zit. Janosch grinnikt.

'Ik ga met jou helemaal nergens meer heen,' antwoordt dikke Felix. Hij bijt in zijn appel.

'Wees toch niet zo snel op je teentjes getrapt,' zegt Janosch. 'Het was immers niet kwaad bedoeld.'

'Dat heeft Benni ook al tegen me gezegd,' maakt dikke Felix duidelijk. 'Maar dat helpt niks.'

'Hoezo heeft Benni dat ook al tegen je gezegd?' vraagt Janosch.

'Omdat Benni cool is, antwoordt Florian, die ze allemaal alleen met *meisje* aanspreken.

'Daar heb je gelijk in,' zegt Janosch. 'Benni is echt cool. Is Benni cool of niet, vrienden?'

'Benni is cool,' antwoorden de anderen. Ze slaan me op mijn schouder.

Ik moet aan mijn zus denken. Ik mis haar. Waar zou ze nou uithangen? Waarschijnlijk op een of ander pottenfeest in de binnenstad. Dat ken ik. Ze heeft me er weleens mee naartoe genomen. Stiekem natuurlijk. Dan klommen we uit het raam. Mijn ouders hebben er nooit iets van gemerkt. En dat is maar goed ook. Ze zouden het nooit hebben begrepen. Dus bleef het tussen ons. En ik vond het te gek. Meestal was ik de enige jongen. En in tegenstelling tot andere jongens konden de meisjes mij wel uitstaan. Ik stonk niet, zoop niet, boerde niet en maakte me niet schuldig aan 'vrouwonvriendelijke obsceniteiten'. Ik mocht blijven. Soms zelfs de hele nacht. Mijn zus bracht me dan naar huis. Ze was de heldin van de avond. Ze vonden haar allemaal leuk. Ze vonden haar allemaal mooi. Terwijl ze eigenlijk best klein is. Eén vierenzestig misschien. Ze draagt haar bruine, lange haar altijd in een paardenstaart. Haar gezicht is open en zonder rimpels. Uitdrukkingsloos. Ik zie het zelden huilen. Of lachen. Altijd leeg. Godverdomme. Ik geloof dat ik van haar hou.

'Hoe zit dat nou met die meiden?' vraagt Janosch.

'Wat zou er moeten zijn? wil Florian weten.

'Nou, gaan we er nou naartoe of niet?' Janosch is kwaad.

'Wat gaan we daar dan doen?' vraagt dunne Felix. 'Dat wordt weer net zoiets als "operatie bierpul", dat weet ik zeker.'

'Operatie bierpul was *crazy*,' werpt Janosch tegen. Hij zegt voortdurend *crazy*. Alles wat spannend is noemt Janosch *crazy*. Hij is dol op dat woord.

'Die operatie noem jij *crazy*?' vraagt dikke Felix verbaasd. 'Was het ook *crazy* mij een vet stuk Chappi te noemen?'

'Nee, dat was niet *crazy*, dat was een *accident*.' Janosch lacht.

'Ik sla je dadelijk op je bek. Dan weet je wat een echt *accident* is,' antwoordt Felix.

'Betekent dat soms dat je meedoet vannacht?' vraagt Janosch.

Bolle gooit een puddingbroodje naar hem.

Janosch draait zich om. Hij lacht nog steeds.

'En hoe zit het met jullie? Bolle doet mee.'

'Wij doen ook mee,' brommen de anderen. Ik brom met hen mee. Zo hoort dat nu eenmaal.

'Okay,' zegt Janosch. 'Ik zorg voor de meisjes – jullie voor het bier. Om tien voor één komen we bij elkaar, bij Lebert en mij op de kamer.'

Waarschijnlijk is het tien uur. Ik weet het niet. Buiten is het al pikdonker. Ik zit op de vensterbank en kijk naar buiten.

Naast me zit Janosch. Hij rookt.

'Eén ding moet je me eens vertellen, Janosch,' zeg ik.

'Ik kan je veel vertellen,' antwoordt hij.

'Niet veel,' zeg ik. 'Eén ding maar. Hoe voelt het om niet gehandicapt te zijn? Niet slap? Niet leeg? Hoe voelt het om met je linkerhand over een tafel te wrijven? Voel je dan het leven?'

Janosch denkt na. Hij wrijft met zijn linkerhand over de vensterbank.

'Ja, je voelt het, het leven.' Hij slikt. Dan trekt hij aan zijn sigaret. In zijn gezicht gloeit een rood puntje.

'En hoe voelt het?'

'Het voelt gewoon zoals het leven voelt!' zegt hij. 'Eigenlijk niet anders dan wanneer je er met je rechterhand over wrijft.'

'Maar het is toch geweldig, of niet?' wil ik weten.

'Ik heb er nooit over nagedacht,' antwoordt Janosch. 'Maar

dat is het nu precies: leven betekent zoveel als "er nooit over nadenken".'

'Nooit over nadenken?' herhaal ik verontwaardigd.

'Denk je echt dat niemand erover nadenkt wat wij op dit moment doen?'

'Hierbeneden zeker niet,' legt Janosch uit. 'Als er al iemand over nadenkt, dan daarboven. Wie weet, misschien heeft onze goede vriend Bolle uiteindelijk toch gelijk met zijn man met baard in de hemel.'

'Wil je dat straks tegenover hem herhalen?' vraag ik.

'Natuurlijk niet,' antwoordt Janosch. We zwijgen. Buiten begint het weer te sneeuwen..

'Ik wil niet gehandicapt zijn,' fluister ik. 'Niet zo.'

'Hoe dan?' Janosch kijkt me vragend aan.

'Ik zou willen weten wat ik ben,' antwoord ik. 'Iedereen weet wat hij is: een blinde kan zeggen dat hij blind is, een dove kan zeggen dat hij doof is en een mankepoot, verdomme, kan zeggen dat hij een mankepoot is. Ik kan dat niet. Ik kan alleen maar zeggen dat ik aan één kant verlamd ben. Of dat ik een eenzijdig spasme heb. Hoe klinkt dat nou? De meeste mensen denken toch dat ik een mankepoot ben. En die paar anderen denken dat ik een heel normaal mens ben. En ik kan je wel vertellen dat dat vaak nog veel meer problemen oplevert.'

'Doe het nou maar niet in je broek,' antwoordt Janosch. 'In mijn ogen ben jij niet gehandicapt en ook niet normaal. In mijn ogen ben jij... *crazy.*' Janosch lacht. 'Ja precies, dat is het, jij bent niet gehandicapt, maar *crazy.*'

'*Crazy?*' vraag ik.

'*Crazy,*' antwoordt hij.

Nu lachen we samen. Dat doet me goed. We lachen lang.

'Naar welk meisje wil je eigenlijk toe?' vraag ik, als we weer gekalmeerd zijn. 'Naar Malen zeker, of niet?'

'Natuurlijk naar Malen,' antwoordt hij. 'Wat dacht jij dan, naar Florian? Natuurlijk niet. Malen ligt op een driepersoonskamer. Die andere twee meiden kunnen jullie hebben.'

Janosch krijgt een melancholieke blik. Ik kan de liefde in zijn ogen zien. Nu zal ik het hem wel moeten vertellen. Dit is het moment. Hopelijk reageert hij er goed op. Ik steek van wal. Ik verhef mijn stem. 'Ik moet je helaas iets bekennen,' begin ik.

'Wat dan?' vraagt hij.

'Ik geloof dat ik ook op Malen val.' Opeens begin ik weer ongegeneerd te lachen. 'Maak je me nou van kant?' vraag ik.

Nu begint Janosch ook te grinniken. Bijna nog harder dan daarstraks.

'Onzin.'

'Onzin?' herhaal ik opgewekt. 'Maakt het je niks uit?'

'Natuurlijk maakt het me wel iets uit. Maar je moet weten dat er hier op het kasteel minstens honderdvijftig gasten zijn die op Malen vallen. Dan maakt één meer of minder ook niets meer uit. Bovendien ben jij nog een lieverdje. Zij het een *crazy* lieverdje.' Nu kan hij niet meer ophouden met lachen. Hij houdt zijn buik vast. Hij hikt steeds vaker, waarop ik hem spottend nadoe. Hij rolt met zijn ogen. Pas als hij bij de vensterbank gaat staan, kalmeert hij weer. Dan haalt hij uit zijn kast twee blikken Warsteiner-bier. Het ene drinkt hij in een teug leeg. Het andere zet hij voor mij neer.

'En hoe zie ik eruit?' wil hij weten.

'Goed,' antwoord ik.

En daar staat hij dan voor me. Mijn kamergenoot. Janosch Schwarze. Zestien jaar. 3e klas gymnasium. Sommigen zeggen dat hij goed is in wiskunde. Misschien moet ik hem voor bijles vragen. Maar daar hebben we het nu niet over. Bovendien vormen wij een verkeerde combinatie. Zegt Landorf. Waarschijnlijk doen we het toch. Zo zijn wij nu eenmaal.

Wat zei Janosch ook alweer? Precies: leven betekent zoveel als 'er nooit over nadenken'. Dus doen we dat ook niet.

4

'Zeg iets!'
'Wat moet ik zeggen?'
'Zeg gewoon iets!'
Janosch ligt in bed en heeft de deken over zijn kop getrokken. Zijn blauwe ogen komen er steeds weer vanonder te voorschijn. Ik zit op de rand van het bed. Zo dat hij zijn benen kan uitstrekken. Zoals hij zo graag doet. We moeten nog wachten. Twintig minuten misschien. Dan komen ze. Ik ben een beetje opgewonden. Ik zie op tegen de donkere gangen en de voetstappen op de houten vloeren. We moeten per slot van rekening ver lopen. Als Janosch me niet voor de gek heeft gehouden, moeten we zelfs de brandtrap bedwingen om een etage hoger op de gang van de meisjes te komen. Op dit tijdstip zijn alle deuren namelijk op slot. Dat betekent dat we door het raam moeten. Een routineklus voor een mankepoot als ik. Janosch heeft het raam vanavond speciaal opengezet. Ik wou dat een van de begeleiders het alsnog dichtdeed. Maar dat doet niemand. Dat weet Janosch zeker. Hij slaapt al bijna. Ik moet hem wakker maken. Heeft hij zelf gezegd. Twintig minuten voor het begin van de actie is de neiging in slaap te vallen het grootst. Als man moet je dat overwinnen, vindt Janosch. Zeker als je naar de meisjes gaat. Ook mijn ogen vallen bijna dicht. Ik probeer twee sigaretten aan te steken. Bij wijze van uitzondering lukt het me een keer. Janosch komt overeind. Op zijn dekbed ligt een *Playboy*. Twee trutjes van de popgroep Mr. President zijn uit de kleren gegaan. Zien er niet slecht uit. We kijken ernaar.

'Wil jij later kinderen?' vraag ik aan Janosch terwijl ik de borsten van Danii en T onder de loep neem.

'Ik wil in elk geval seks,' antwoordt Janosch. 'En als ik later een kind heb, dan mag dat ook aan seks doen. Ik wil seks en mijn kind mag ook aan seks doen.' Hij lacht.

'Janosch, ik meen het,' zeg ik streng.

'Natuurlijk wil ik een kind,' antwoordt hij, 'als het even kan zelfs twee.' Hij trekt aan zijn sigaret. 'Ik hou van kinderen. Ik wil weten hoe het is als je zoon waggelend op je afkomt en met dubbele tong zegt: *Papa, ik ben niet bezopen. Je kunt me honderd procent vertrouwen.*'

'Je gaat me toch niet vertellen dat jou dat is overkomen?' vraag ik.

'Natuurlijk is mij dat overkomen,' antwoordt hij. 'Zoiets overkomt mij voortdurend. Zou ik daarom soms zo'n goeie relatie met mijn ouders hebben?'

Janosch begint weer te lachen. De typische Janosch-lach. Een vloedgolf. Een gehijg. Zijn oogleden trillen. Hij knort. Alleen klinkt het deze keer een beetje vermoeid. We verdiepen ons weer in de *Playboy.* Vroeger hadden we superhelden in onze kamer hangen. Nu hangen er supertieten in onze kamer. Eigenlijk zijn we nog steeds kleine jongens.

Ik moet aan mijn vader denken. Een goeie vent. Zestien jaar lang is hij al mijn vader. En ik begrijp hem nog steeds niet. Hij is amateurastronoom of zo. Dat zegt hij tenminste. Hij heeft een sterrenwacht gebouwd bij zijn moeder op het platteland. Erg groot is die niet. Een kleine zwarte houten hut op het dak van de garage van mijn grootmoeder. Maar het is er toch wel gezellig. Soms neemt hij me er 's nachts mee naartoe. In het weekend en op vrije dagen. Dan praten we over het leven. Ik begrijp niet zoveel van wat hij zegt. Hij gebruikt grote woorden en vaktaal.

Maar af en toe krijg ik een vermoeden wat hij bedoelt, bijvoorbeeld als hij vertelt over zíjn vader. Die heeft soms erg veel pijn. Hij rookt nogal veel. Zijn longen worden opgevreten door de kanker. En soms heeft mijn vader gewoon ruzie met mijn moeder. Ook dan vermoed ik waar hij het over heeft. En ik begrijp hem. Mijn vader heeft het goed met me voor. Dat weet ik. En ik denk dat alleen dat al een reden is om het goed met hem voor te hebben. Hij is dol op de Rolling Stones. Een popgroep van vroeger. Elke keer wanneer ze een tournee maken, neemt hij me er mee naartoe. Hij hoopt dat de muziek bij mij in de smaak valt. Dat doet ze niet. Maar ik vind het niettemin fantastisch. Ik ben blij voor mij vader. Omdat hij plezier heeft. En ik ben blij dat we samen plezier hebben. Dat is goed zo. Volgens mij is het een heldere nacht vandaag.

'Ik zou nu wel willen neuken met Victoria van de Spice Girls,' zegt Janosch. Hij wijst naar een foto van de popgroep in de *Playboy*. 'Die heeft geweldige borsten.'

'Ik ken de borsten van Victoria niet zo goed,' zeg ik.

'Dikke Felix ook niet,' antwoordt Janosch. 'En toch heeft hij het er voortdurend over. Daar hoef je je geen zorgen over te maken.'

Op dat moment gaat de deur open. Er kijkt een breed gezicht naar binnen. Het is ongetwijfeld van dikke Felix. De blonde haardos is onmiskenbaar. Net als de dikke wangen. Zijn omvangrijke lijf zit in een strakke blauwe kabouterpyjama, waar langzaam maar zeker zijn pens uit begint te puilen. Hij heeft kleine oogjes. Van de slaap.

'Heb ik iets gemist, stelletje slaapkoppen?' vraagt hij.

'Alleen Victoria van de Spice Girls,' antwoordt Janosch.

Victoria van de Spice Girls,' hijgt dikke Felix, 'Waar?'

'Hier.' Janosch pakt de *Playboy* op. Met snelle passen waggelt dikke Felix erop af. Achter hem aan komen Florian, Troy en dunne Felix de kamer binnen. Ze lopen op hun tenen. Niemand mag hen horen. Nachtelijke activiteiten worden bestraft.

'Man, dat zijn te gekke borsten,' zegt Bolle stralend en houdt het tijdschrift in het schemerlicht van het lampje op het nachtkastje.

'Wat weet jij daar nou van,' werpt Janosch tegen. 'Bovendien, zo eentje krijg jij toch nooit! Nietwaar jongens?' vraagt Janosch. 'Zo eentje krijgt hij toch nooit, of wel soms?'

'Nee,' zeggen de anderen. 'Zo eentje krijgt hij toch nooit.'

'Weet ik,' zegt dikke Felix. 'Daarom heb ik ook zo'n hekel aan mezelf.'

Janosch lacht. 'In de regel zijn er maar twee redenen waarom jongeren een hekel hebben aan zichzelf. 'Ze zijn te dik, of ze hebben zijn nog nooit met iemand naar bed geweest. Geloof me, Felix, ik begrijp waarom jij een hekel aan jezelf hebt.'

Bolle heeft er genoeg van. Hij stort zich met een aanloop op Janosch' bed. Er klinkt een luide kreet van pijn. Dekens en kussens vliegen in het rond. Er begint een kleine klop-partij.

Dikke Felix maakt amper kans. Janosch neemt hem al gauw in een borstklem. Maar hij geeft het nog niet op. Hij probeert Janosch met allebei zijn benen tegen de muur te drukken. Daarbij tilt hij zijn benen over zijn eigen bovenlichaam heen. Het ziet er onbeholpen uit. Hij trappelt. Zijn gezicht blijft onzichtbaar. Zijn vette kont niet. Die zie je goed. Hij barst bijna uit zijn pyjamabroek. Het duurt niet lang meer. Na twee minuten vechten knapt het elastiek. De broek zakt af en we krijgen een blote reet gepresenteerd. Janosch, Troy, de anderen en ik lachen De twee kemphanen gaan uit elkaar.

'Jij zou heel goed sumoworstelaar kunnen worden,' zegt Janosch. Hij raapt net zijn beddengoed weer bij elkaar.

'Dat denk ik ook,' antwoordt Felix. 'Maar alleen als jij toiletjuffrouw wordt.' Hij grinnikt. Hij houdt zijn pyjamabroek met middel- en wijsvinger op heuphoogte.

'Kan een van jullie me misschien vertellen hoe ik hiermee de brandtrap moet opklauteren, idioten?' Hij wijst met zijn linkerhand naar zijn broek.

'Je bent toch volwassen,' antwoordt Janosch spottend. 'Jij moet zoiets toch kunnen! En als sumoworstelaar helemaal. Doe verdomme eens je best, Bolle!'

'Geen hond die mij heeft gevraagd of ik volwassen wil worden,' antwoordt Felix. 'Als jongen heb je het toch veel makkelijker. Of niet soms?'

'Hou je kop,' antwoordt Janosch. 'We zijn hier niet bij de psycholoog. Wij hebben het over bier en seks. En niet over het feit dat we kinderen willen blijven.'

'Maar ik ben moe,' zegt Florian, die ze allemaal alleen met *meisje* aanspreken.

'Jou wordt niks gevraagd,' antwoordt Janosch. 'Jullie hebben gezegd dat je meedoet, dus doen jullie mee! Hebben jullie het bier?'

'Dat heeft Troy!' zegt dunne Felix. 'Hij heeft grote zakken. Bovendien kletst hij niet.'

'Hij praat niet eens. Hoe zou hij dan moeten kletsen?' vraagt Janosch.

'Dat weet ik ook niet,' antwoordt Florian. 'Hoe dan ook, hij heeft het bier.'

Janosch zucht.

'Goed,' fluistert hij. 'Dan hebben we alles. En jij Benni, hoe is het met jou?'

'Ben al klaar!'

En daar gaan we dan. Weer eens een onderneming die in feite zinloos is. Weer eens met z'n zessen. Janosch zegt dat juist die zinloze acties typisch voor ons zijn. En als ik zo eens om me heen kijk, dan geloof ik dat hij gelijk heeft. Daar lopen ze namelijk. De zinloze acties in persoon. Neem nou Florian, die ze allemaal alleen met *meisje* aanspreken. Hij heeft een roodbruin pyjamajasje aan en een witte onderbroek. Zijn blote voeten kletsen op de linoleumvloer. Volgens Janosch is hij al vaak 's nachts op de meisjesgang geweest. Hij is erg populair daarboven. Hij heeft een oogje op Anna, of zoiets. De vriendin van Malen. Hij laat heel vaak een oogje op iemand vallen, zegt Felix. Soms wel drie keer in een week. Maar zonder succes. Hij is altijd alleen een trouwe kameraad. Nooit een echte *lover*. Daar maakt hij zich verschrikkelijk druk over. Maar het weerhoudt hem er niet van het toch te proberen. In overeenstemming met de grondregel van Janosch.

Naast hem loopt dikke Felix. Het schijnt dat hij haast nooit meegaat naar de meisjesgang. Hij kan niet met meisjes praten, denkt Janosch. Zijn ogen puilen uit hun kassen en hij praat alleen maar over zinloze dingen. Over voetbal bijvoorbeeld. Janosch weet zeker dat meisjes afknappen op voetbal. Alsof je over pesticiden zou praten. Daarom laten de anderen Felix altijd behoorlijk veel drinken. Als hij drinkt dan valt hij al gauw in slaap en als hij slaapt, lult hij geen onzin, zegt Janosch. Speciaal voor de brandtrap heeft Felix een wasknijper gekregen. Die doet hij aan zijn pyjamabroek. Als hij loopt, beweegt hij mee in het ritme. Dat ziet er vreemd uit. Alsof hij een muis verstopt houdt.

Achter hem lopen dunne Felix en Troy. De twee grote onbekenden. Er is niemand die veel over hen weet. Over Troy doet zelfs het verhaal de ronde dat hij nog nooit verliefd is geweest op een meisje. Hij zou alleen stille meisjes kunnen verdragen. Zijn zwarte stekeltjeshaar zit een beetje in de war. Verder ziet hij eruit als altijd. Lang, gaaf gezicht. Geen puisten. Alleen een paar in zijn hals. Hij heeft een bleke huid. Die heeft de zon waarschijnlijk nooit gezien. Ze zeggen dat die nachtelijke ondernemingen hem niks uitmaken. Hij kan toch niet slapen. Hij gaat weliswaar vaak mee, maar zit meestal in een hoekje. Hij zegt nooit een woord. Er heeft zich ook nog nooit iemand voor hem geïnteresseerd. Hij is er gewoon. Net als de maan of de sterren.

Dunne Felix is er ook voor het eerst bij. Net als ik. En net als ik is hij opgewonden. Je kunt het aan hem zien. Zijn blote benen trillen. Hij heeft alleen een bedrukt boxershort aan. Zijn bovenlichaam is ook bloot. Felix is heel gespierd. Zijn buik lijkt een wasbord. Zoiets moet Malen toch aantrekkelijk vinden, denk ik. Die jongen heeft vast en zeker veel meer te bieden dan ik.

En daarmee zijn we bij de op een na laatste van onze groep: bij onze vriend Janosch. Ook hij heeft zijn pyjamajasje op zijn kamer gelaten. Hij kan per slot van rekening niet voor de anderen onderdoen. Hij heeft alleen zijn bordeauxrode broek aan. Die heeft hij een stukje opgerold. Je kunt zijn stevige kuiten zien. Van Charlie, een leerling uit de groep van Landorf, heeft hij een bril geleend. Daarmee probeert hij er intelligenter uit te zien. Ik weet niet of dat zal lukken. Het is een kleine bril, met rechthoekige glazen. Zwart montuur. Florian denkt dat als Janosch het voor het zeggen zou hebben we elke nacht op de meisjesgang zouden zijn. Hij houdt van een geintje. Van de kick. Bovendien hoopt hij nu eindelijk eens de borsten van Malen te zien te krijgen. Dat schijnt ze hem te hebben beloofd. Op een nacht. Toen hij alleen naar boven is gegaan. Dikke Felix zegt dat

dat onzin is, dat niemand hem dat heeft beloofd. Dat al die tieten hem het zicht op de werkelijkheid hebben benomen. Tieten moet je verdienen, zegt Felix. Die krijg je niet zomaar cadeau. En een kleine, geblondeerde jongen met een vollemaansgezicht en hangwangen al helemaal niet. Dat bestaat niet. En toch is Janosch de leider. Een groot leider zelfs. Hij houdt de troep bijeen. Geeft iedereen desnoods een trap onder zijn kont, zegt Felix. En daar is hij echt goed in. Dat kan hij. Naast hem, dicht tegen de muur aangedrukt, loopt de laatste man: ikzelf. Voorzichtig zet ik mijn linkervoet voor mijn rechter. Ik rits met mijn nagel over de muur. Het is vrij donker. Ik ben een beetje bang. Ik heb zoiets nog nooit gedaan. Nachtelijke ondernemingen zijn toch al niet mijn liefhebberij. Ik slaap 's nachts liever. Janosch zegt dat ik een zeur ben. Slapen kan ik als ik dood ben. Bovendien krijg ik Malen te zien. En als ik Malen zie, dan vergeet ik mijn slaap wel, zegt Janosch. Hij heeft waarschijnlijk gelijk. Ik zie de vriendelijke glimlach van Malen voor me. Het haar. De ogen. Zou ze blij zijn dat ik kom? Het kan best zijn dat ze wil slapen. Ik zou het haar niet kwalijk kunnen nemen. Ik moet aan mijn bed denken. En aan mijn ouders. Die nu slapen. Mijn moeder droomt vast over mij. Dat weet ik zeker. Dat doet ze altijd als ik er niet ben. Waarschijnlijk vraagt ze zich af of ik het koud heb of zo. En of ik de sprei heb ingepakt. De bruine met witte strepen. Ze vraagt zich waarschijnlijk ook af of ik het raam heb dichtgedaan. Ik zou weleens kou kunnen vatten. Zo is ze, mijn moeder. Maakt zich voortdurend zorgen om mij. Waarschijnlijk ben ik daarom zo'n slapjanus. Voor een normaal kind zou dat nog enigszins uit te houden zijn. Dat zou zoiets op de een of andere manier compenseren. Met vrienden. Met alcohol. Met lol. Maar als je gehandicapt bent, dan is dat lastig. Dan heb je toch al de neiging om onder moeders rokken te kruipen. Te rusten. Adem te halen. Te slapen.

Ja, ik denk dat ik een echt moederskindje ben. Lekker makkelijk. Ik heb maar één zus. Die troont me af en toe mee naar buiten. Door de nacht. En ik heb Janosch. Die zegt dat ik het niet in mijn broek moet doen. Ik heb ze waarschijnlijk allebei nodig, wil ik ooit op eigen benen kunnen staan. Net zo goed als ik mijn moeder nodig heb. Ik hou van haar. Het klinkt idioot. Maar ik geloof dat ze dat volwassen worden noemen. Dat zeggen ze tenminste.

Ik zet mijn linkervoet weer voor mijn rechter. De andere vijf jongens zijn sneller dan ik. Zij hebben een vlotte en soepele tred. Dat hou ik niet bij. Ik loop langzaam. Het lijkt meer op erachteraan sloffen. Mijn linkervoet sloft vaak. Ik kan hem niet echt goed optillen. Ik heb er de kracht niet voor. Ik ben op blote voeten, maar toch maakt het geslof lawaai. Het klinkt door de hele hoerenvleugel. Janosch draait zich nijdig om. Hij fronst zijn voorhoofd. Maar dan ziet hij wat het probleem is. Hij komt snel naar me toe.

'Ik neem je op mijn rug,' zegt hij op verontschuldigende toon. 'Het maakt te veel lawaai.'

'Het maakt te veel lawaai?' vraag ik.

'Ja,' antwoordt hij. 'Landorf kan ons horen. Ik draag je. Bovendien ben je al langzamer dan wij.'

Iedereen is het met hem eens. Zelfs dikke Felix.

'Draag je mij ook?' vraagt hij aan Janosch.

'Om een nieuwe martelmethode te testen?' vraagt Janosch.

'Nee, om mij te dragen,' antwoordt Felix.

'Trek jij eerst je broek maar eens fatsoenlijk aan,' fluistert Janosch.

Hij wijst naar de wasknijper aan Felix' pyjamabroek. Dan

draait hij zich om en zakt door zijn knieën. Nu sta ik achter hem. Meesmuilend kijk ik naar mezelf. Ik heb de gitzwarte pyjama van mijn vader aan. Die zal zo'n goeie twintig jaar oud zijn. *When the going gets tough, the tough gets going*, staat erop te lezen. Een oeroude rockwijsheid. Mijn vader is er dol op. Al eeuwen. Dat kan geen toeval zijn. Mijn huid is een beetje vochtig. Ik ril. Ik heb een afschuwelijke smaak in mijn mond. Vanmiddag hebben we linzen gegeten. Maar misschien zijn het ook de puddingbroodjes van vanavond. Ik denk dat ik er te veel van heb gegeten.

Ik sla mijn benen om Janosch' heupen. Rechts is geen probleem. Maar links levert moeilijkheden op. Het duurt even. Felix en de anderen helpen me. Janosch moet nog even op zijn hurken blijven zitten. Dan staat hij op. Door de lichte schok word ik de lucht in geslingerd. Ik val bijna. Snel sla ik mijn rechterarm om Janosch' hals. We trekken verder. En daar lopen we dan. Wij zessen. De nacht. De hoerenvleugel. De maan. Op de rug van Janosch is het uit te houden. Beter dan moeten lopen. Het gaat heel snel. Het hobbelt alleen een beetje. Ik moet oppassen dat ik mijn kop niet stoot. Het plafond van de Landorf-gang is erg laag. Je kunt er vanaf de grond met een sprong bij. Janosch loopt extra gebogen. Hij zweet een beetje. Maar al met al houdt hij het vol.

Dat moet een man nu eenmaal kunnen, zegt hij. De twee Felixen knipogen naar elkaar. Ze grinniken. Florian loopt naast ze. Hij ziet eruit alsof hij onderweg in slaap zal vallen. Troy is de hekkensluiter. Zijn gezicht is uitdrukkingsloos. De blikken bier heeft hij onder zijn pyjamasje gestopt. Zelfs bij dit licht zie je ze goed zitten. Ze veroorzaken een behoorlijke bult. Maar dat schijnt hem niks uit te maken. Ik ben moe. Mijn ogen vallen steeds verder dicht. Ik moet aan mijn bed denken. Aan Malen. En aan mijn ouders. Die nu slapen.

5

'Doen eigenlijk alle jongeren van die achterlijke dingen?' vraagt dikke Felix als we de Landorf-gang door zijn.

Daar zijn we extra stil geweest. Janosch zegt dat onze begeleider op dit tijdstip soms nog computerspelletjes doet. Ze zeggen dat hij een zwak voor pokeren heeft. Maar dat is alleen een gerucht.

'Wat voor achterlijke dingen bedoel je eigenlijk?' vraagt Janosch.

'Dat we 's nachts naar de meisjes toegaan,' antwoordt Felix. 'En dan ook nog eens via de brandtrap! Weten jullie dan niet welke straf er staat op het onrechtmatig gebruik van de brandtrap?'

'Geen idee', zegt Janosch. 'We hebben dit toch al duizend keer gedaan, samen. Waar wind je je over op? Wij zijn helden. Ben je dat soms alweer vergeten? Je naamgenoot hier zei het toch?'

'Mijn naamgenoot is een rukker,' antwoordt Felix. 'Die weet van niks.'

'Precies,' zegt Florian, die ze allemaal alleen met *meisje* aanspreken. 'Wij weten allemaal van niks. En juist daarom zijn we helden. Helden weten altijd van niks. En omdat we helden zijn, mogen we alles. Dan houdt een brandtrap ons ook niet tegen.'

'Is dat de logica van de jeugd?' wil Bolle weten.

'Nee, dat is de logica van een rukker,' antwoordt dunne Felix.

'De logica van rukkers en helden,' voegt Janosch eraan toe.

Er weerklinkt zacht gegiechel door de tussengang. Misschien dringt het door tot in de hoerenvleugel, tot bij de deur van de begeleider. Maar daar let niemand op. We lopen verder. Langzaam aan begin ik me belachelijk te voelen op de rug van Janosch. Het lijkt wel alsof ik niet zelfstandig ben. Alsof ik niet alleen kan lopen. Maar dat kan ik wel. Tenminste, ik heb het altijd gekund. Maar dat zeg ik hem niet. Hij zou alleen maar weer opmerken dat ik het niet in mijn broek moet doen. En daar heb ik nu helemaal geen trek in. Ik kijk door het raam naar de hemel. Een groot zwart vlak. Bezaaid met een paar stralende sterren. Het ziet er mooi uit. Niet te geloven dat sommige daarvan allang niet meer bestaan. Dat ze allang dood zijn. Alleen zien wij dat niet. Het licht is gewoon te lang onderweg naar de aarde. Aan de horizon kun je de Alpen zien. Je kunt ze alleen als donkere vormen onderscheiden. Ze zijn donkerder dan de hemel. Over die Alpen moet Hannibal dus gekomen zijn. Mijn geschiedenisleraar vertelde daar altijd over. Ik moet toegeven dat ik vaak sliep. Sliep en droomde. Het was in de tijd dat ik juist verliefd was op een meisje uit mijn klas. Ze heette Maria. Ze was ongelooflijk knap en had donker haar. Ze had altijd een strak T-shirt aan, dat alleen bij de halsopening losliet van haar huid. Zodat iedereen in haar decolleté kon koekeloeren. Dat was te gek. Ze zei dat ze niks voor me voelde. Ze vond me te eigenaardig. Bovendien viel ze op Marco. Marco was een goeie vriend van mij. Ze hebben elkaar gekregen. Een keer hebben ze het op het zomerfeest op de dames-wc gedaan. Ik moest buiten op wacht staan. Nou, dat was spannend. Je jeugd is toch de mooiste tijd van je leven, denk ik. Zowel school als die andere flauwekul. Dan maak je de beste dingen mee. Het klopt wel, wat die ouwelui zeggen. Ik kan me niet herinneren dat er een tijd was dat ik niet verliefd was. Zelfs op de kleuterschool was ik al gek op meisjes. Maar ik kan me ook niet herinneren dat er een tijd was dat ik met iemand ging. Daar ben ik te eigenaardig voor, zou Maria zeggen. Wat is eigenaardig eigenlijk, verdomme? Is het eigenaardig om 's nachts op de rug van een vriend naar de meisjes te lopen? En dat via de brandtrap? En bovendien met Troy? En bovendien met Florian, die ze allemaal alleen met *meisje* aanspreken? Is het eigenaardig dat dikke Felix een wasknijper draagt? Zodat zijn broek niet afzakt? Is Janosch eigenaardig? Of is hij alleen een eigenaardige held? Ik wou dat het me allemaal niks uitmaakte. En dat ik me weer voor superhelden zou interesseren. Die zijn makkelijker. Meisjes zijn namelijk niet zo makkelijk te begrijpen. Volgens mij zijn zíj eigenaardig.

De vijf jongens blijven staan aan het eind van de gang. Voor hen ligt een groot raam. Dunne Felix doet het open.

'Daar zijn we dan,' zegt hij.

'De brandtrap?' vraag ik.

'De brandtrap,' bevestigt Janosch.

Hij bukt om me eraf te laten. Hij wankelt even. Het lijkt alsof hij zijn evenwicht niet kan bewaren. Maar het lukt hem. Ik kan afstappen. Ik heb een gek gevoel in mijn benen. Alsof ik een eeuwigheid niet meer heb gelopen. Ik heb een koude rug. Mijn broek plakt aan mijn kont. Ik loop naar het raam en bekijk het. Janosch, Florian en de twee Felixen zijn naast me komen staan. Ze turen voor zich uit en roken. In het donker gloeien rode puntjes. Troy staat achteraan. Je ziet hem nauwelijks. Er ligt een donkere schaduw over zijn gezicht. Ik draai me weer om naar het raam. Het lijkt meer op een glazen deur. Er kan makkelijk een man doorheen. Dat moet ook, want het is een nooduitgang. De glazen deur beweegt in de wind. Het waait buiten blijkbaar nogal hard.

Dunne Felix had de deur nog niet open moeten doen. De anderen zijn nog aan het roken. Het is koud. Ik rook nu niet. Dat kan boven ook nog. Bovendien moet ik oppassen dat het langzamerhand niet te veel wordt. Voor een jongen van zestien rook ik tamelijk veel. Marlboro natuurlijk. Omdat ik een rund ben. Camel roken alleen stommelingen, zegt Janosch. En dat zijn wij natuurlijk niet. Mijn ouders beweren altijd dat ik niet rook. Ze zouden doodgaan als ze het wisten. Vooral mijn moeder. Die is gezondheidskundige. Ze zegt dat elke afzonderlijke sigaret enorm veel schade aanricht. En dat terwijl ze zelf rookt. Op de een of andere manier begrijp ik dat niet. Maar zo gaat dat voortdurend met mijn ouders. Ze verbieden me constant dingen die ze zelf ook doen of weleens hebben gedaan. Waarschijnlijk hebben ze daarom zo vaak ruzie. De laatste tijd is het echt erg. Als zoon voel je je dan zo hulpeloos. Zo leeg. Dat doet pijn. Vaak wou ik dat ze uit elkaar waren gegaan. Dan had ik al die ellende niet mee hoeven maken. Maar tegelijkertijd ben ik blij dat ik die twee heb als ruggensteun. Als vrienden. Gewoon als familie. Waarschijnlijk is het allemaal maar gezwam. Maar het vreet aan me. Ik kan het niet vergeten. Waar ik ook ben. Ik hou van mijn ouders. Als paar en niet gescheiden. Ik denk aan onze vakanties en het plezier samen. Aan Kerstmis. En ik denk aan de ruzies. Aan de voortdurende ruzies. Soms gaat het om mijn opvoeding. Soms om hun eigen relatie. En soms gaat het er alleen om wie die verdomde lege kratten terugbrengt naar de supermarkt. Volgens mijn zus is dat de enige reden waarom ik naar kostschool ben gestuurd: om me te verlossen van die ruzies. Nu heeft zij het te verduren. Alleen. Helemaal alleen.

Tot nog toe heb ik niet naar huis gebeld. Misschien ben ik bang voor het gehuil van mijn moeder. Voor de wanhoop van mijn zus. Voor de angst van mijn vader. Toen ik nog thuis was, probeerde ik het altijd van de zonnige kant te zien. Het mooie weer bijvoorbeeld. Of een goed programma op tv. Dat we bij elkaar waren. Vaak slikte ik ruzies gewoon in. Ook nu betrap ik me er nog vaak op dat ik ze verdring.

Dat is misschien wel goed. Maar het wordt steeds moeilijker. Eigenlijk is het allemaal klote. En nu moet ik een brandtrap opklauteren. Als ik mijn hoofd uit het raam steek, blaast de wind in mijn gezicht. Mijn korte haar raakt in de war. De binnenplaats wordt verlicht door een kleine lantaarn. Die brandt ook 's nachts altijd, zegt Florian. Om de begeleiders het checken te vergemakkelijken. Checken, dat zeggen de leerlingen van Neuseelen als ze door een begeleider worden betrapt op een illegale activiteit. Janosch vindt dat gecheckt worden *oncrazy* is. Hij lacht. De brandtrap is niet pal naast het raam. Je kunt hem alleen makkelijk bereiken met een sprong naar rechts. Voor mij in feite dus onbereikbaar. Ik kan niet springen. En al helemaal niet ver. Ook niet als er brand is. Ik verbrand nog liever dan dat ik spring.

Janosch, Felix en de anderen schieten hun peuken naar beneden op de binnenplaats. Ze doen een stap naar voren. Janosch zet zijn rechtervoet op de vensterbank. Hij houdt het aangebroken pakje sigaretten tussen duim en wijsvinger. Hij laat het in zijn pyjamabroek vallen. Aan zijn rechterkant tekent zich een rechthoek af. Het zit goed. Ook als hij beweegt, verandert het niet. Janosch is gereed voor de sprong.

'Zijn we niet *crazy*?' vraagt hij triomfantelijk.

'We zijn niet *crazy*, maar gestoord,' antwoordt dikke Felix, die zich ergert. Altijd hetzelfde liedje. Ze krijgen het aan de stok, die twee. Zoals altijd.

'Er is in feite toch helemaal geen verschil tussen *crazy* en gestoord,' fluistert Janosch lachend.

'Nee, in feite niet,' bevestigt Bolle. 'Maar in de praktijk wel degelijk. En in de praktijk klim ik, zeker weten, niet nog een keer die brandtrap op.'

'Ik... ook niet,' breng ik fluisterend in het midden.

'Maar in feite doen jullie het toch, of niet?' wil Janosch weten. Daarmee heeft hij ons verslagen. Daarmee is het gedaan.

Andere argumenten tellen niet. De leider heeft ons een trap onder onze kont gegeven. Florian klimt naast hem op de vensterbank. Dikke Felix probeert er nog altijd onderuit te komen. Maar hij lacht zich wel bijna te barsten.

'En als mijn broek afzakt?' vraagt hij wanhopig.

Dan is er eindelijk weer eens iets te zien hier op die verrekte binnenplaats,' antwoordt Janosch. 'Dat zou toch te gek zijn. Als directeur Richter hier alle dagen nieuwe leerlingen aansleept en rondleidt, zegt hij toch altijd dat ze iets te zien krijgen. Nou laat zien dan!'

Iedereen lacht. Zelfs Troy lacht mee. Hij is uit zijn hoek te voorschijn gekomen.

Hij heeft het bier nog steeds onder zijn pyjamasje verstopt. Het zal intussen wel lauw zijn. Janosch geeft me een teken dat ik naast hem op de vensterbank moet komen staan. Hij vindt dat we na elkaar moeten springen. Zoals twee echte helden dat nu eenmaal doen. En als hij eenmaal een sport van de ladder heeft bereikt, kan hij mij zonder problemen naar zich toe trekken. Dan hoef ik helemaal niet echt te springen, zegt hij. Maar toch ben ik bang. Ik heb er geen verklaring voor. Het zweet staat op mijn voorhoofd. Mijn knieën knikken. Je valt hier per slot van rekening tien meter naar beneden. Janosch springt. Het duurt nog geen seconde of hij bungelt al aan de ladder. Met zijn voeten tast hij naar de onderste sport. Na iets meer dan een halve minuut staat hij stevig. Hij wuift.

'Ik heb hoogtevrees,' zeg ik. 'En als ik val?'

'Je valt niet,' antwoordt Janosch. 'Hooguit in mijn armen. Ik ben hier. En als zelfs dikke Felix zijn billen dichtknijpt, dan kun jij het ook.'

Bolle steekt zijn hoofd door het raam. Zijn dikke wangen hebben een kleur gekregen.

'Ik knijp zo meteen nog veel meer dicht dan alleen mijn billen,' zegt hij. 'Maar pas als ik boven ben.'

'Dat weet ik toch, schatje,' antwoordt Janosch. 'Juist. Benni, je kunt!'

Okay. Ik spring dus. Zo moeilijk kan dat nou ook weer niet zijn. Ik hang eventjes in de lucht. Dan pak ik Janosch' hand beet. Hij leidt me veilig naar een sport. We klimmen iets verder naar boven. Florian springt. Hij heeft plaats nodig. Maar mijn linkerhelft zorgt voor moeilijkheden. Hier kan ik wel even vertellen dat ik nooit klim. Ik hoef maar een ladder te zien of ik raak in paniek. Mijn linkervoet komt vaak klem te zitten tussen de sporten. Mijn hand verliest nogal eens zijn grip. Hoe hoger ik kom, hoe erger het wordt. En ik sta hier heel hoog. Op blote voeten natuurlijk. De ladder is van ijzer. Elke stap op de ronde sporten doet pijn. Hopelijk ben ik zo boven. En dat allemaal alleen om de meisjes, denk ik. Laat nu nog maar eens iemand zeggen dat ik geen meisjes nodig heb. De tweede nacht hang ik al wanhopig tegen de muur van een kasteel, alleen om bij de meisjes te komen. Zo hoort dat, vindt Janosch. Dat is goed zo. Meisjes heb je gewoon nodig. Net als licht of zuurstof. Zelfs Bolle heeft ze nodig. Waarom weet niemand. Op dat moment springt Bolle. Met zijn ene hand aan zijn broek, de andere aan de sport. Hij slaakt een zucht van verlichting. Zou Troy ook meisjes nodig hebben? Nu is hij aan de beurt om te springen. Hij schijnt dat geen probleem te vinden. We zijn compleet.

Janosch denkt dat ook Troy iets voor meisjes voelt. Dat moet toch wel. Ze zeggen dat hij helemaal gek is van Uma Thurman. Terwijl die toch amper iets op de plank heeft, vindt Florian. Alleen in dat strakke pakje in de *Batman*-film kan ze ermee door, zegt hij. Naast de brandtrap hangt een bordje. Ik klim er net langs. Het is met vier zilverkleurige spijkers in de muur geslagen. Het bordje zelf is van brons.

Dit is een brandtrap, staat er. *Elke vorm van misbruik wordt strafrechtelijk vervolgd.*

Ik slik.

Nou ja. Ik ben al bijna boven. Ik zie het raam van de meisjesgang. Janosch is er al haast. Het raam staat open. Het beweegt in de wind. Janosch grijpt de vensterbank beet.

'Ik heb een vraag,' zegt dunne Felix als we hem de meisjesgang in trekken. Hij bibbert een beetje. Malen of geen Malen. Hij had misschien toch wat meer moeten aantrekken.

'Vraag!' zegt Janosch bevelend en duwt zijn bril terug op zijn neus. Onder het klimmen was hij omlaag gezakt.

'Denken jullie dat iemand deze actie heeft gadegeslagen? En zo ja, geeft hij ons dan later een pluimpje omdat we zo dapper zijn geweest?'

Dunne Felix meent het serieus. Zijn stem klinkt wat hees. Misschien klinkt er wat twijfel in door. Maar eigenlijk ook veel waarheid. Felix is verstandig. Ik hoor hem zelden grappen maken. Bolle zegt dat hij de filosoof van onze groep is. Volgens mij heeft hij daar gelijk in.

'Aan wie denk je dan zoal?' vraagt Florian, die ze allemaal alleen met *meisje* aanspreken.

'Aan God misschien,' antwoordt Felix. 'Denken jullie dat iemand ons ziet van daarboven?'

'Niemand ziet ons,' antwoordt Florian.

'Maar waarom doen we dan al die achterlijke dingen,' wil Felix weten.

'Misschien juist omdat niemand ons ziet,' antwoordt *meisje*.

'Maar zouden we dan niet allemaal verschrikkelijk bang moeten zijn voor het leven?' informeert Felix.

'Zijn we toch ook,' antwoordt Janosch. 'Iedere stap kost moeite.'

'Jij hing daarstraks anders vrij ontspannen aan die ladder,' antwoordt Bolle.

'Ik zal niet alles bereiken wat ik wil, maar ik zal alles proberen wat ik kan,' reageert Janosch.

'Wat heeft dat te maken met bang zijn voor het leven?' antwoordt Bolle.

'Dat heeft veel te maken met bang zijn voor het leven,' zegt Janosch. 'Waarom weet ik ook niet. Misschien het voortdurende gevoel iets te moeten bereiken.'

'Heb je dan al iets bereikt?' vraag ik.

'Hoor es!' antwoordt Janosch. 'Ik ben net met Bolle en jou die brandtrap opgeklommen. En jij zegt dat ik nog niks heb bereikt.'

'Dat bedoel ik toch helemaal niet,' werp ik tegen.

'Wat bedoelde je dan?'

'Of het leven nog iets voor je in petto heeft!' antwoord ik streng.

'Lebert – ik ben zestien, geen driehonderdvier. Het leven heeft van alles voor me in petto. Zie je die kamer daar met het bordje *Malen Sabel, Anna März en Marie Hangerl*?'

'Ja,' antwoord ik.

'Dat is het eerstvolgende dat het leven voor me in petto heeft! En morgen heeft het weer iets anders in petto. Frans bijvoorbeeld. Of wiskunde. Zo is de jeugd.'

'De jeugd is klote,' antwoordt Bolle. 'Je hebt veel te weinig tijd. Je moet steeds van alles. Waarom eigenlijk?'

'Omdat je het anders zou uitstellen tot morgen,' antwoordt dunne Felix. 'Maar, wat je nu kunt bezorgen, moet je niet uitstellen tot morgen. Terwijl jij het uitstelt, gaat het leven verder.'

'Waar heb je dat vandaan?' vraagt Florian.

'Uit een boek, denk ik,' antwoordt Felix.

'Uit een boek?' vraagt Florian. 'Ik dacht dat in boeken stond wanneer de Tweede Wereldoorlog was en zo. Of wat het verschil is tussen een hoofd- en een bijzin.'

'Ja,' antwoordt Felix. 'Dat staat ook in boeken. Maar in sommige boeken staat gewoon hoe het leven is, denk ik.'

'En hoe is het leven?' vraagt Bolle.

'Veeleisend,' antwoordt Felix.

Er gaat een grote grijns door de groep.

'Zijn wij ook veeleisend?' wil Janosch weten.

'Dat weet ik niet,' zegt Felix. 'Ik denk dat wij juist in een fase zijn dat we de rode draad nog moeten vinden. En als we die hebben gevonden, worden we ook veeleisend.'

Dat begrijp ik niet,' merkt Florian verontwaardigd op. Wat zijn we dan vóór we veeleisend worden?'

'Dan zijn we rode-draadzoekers, denk ik. De hele jeugd is één grote rode-draadzoekerij.'

'En toch is de jeugd klote,' antwoordt Janosch. 'Hoewel... Ik denk dat ik liever mijn rode draad zoek dan dat ik veeleisend ben. Het leven is te ingewikkeld.'

'Ja,' antwoordt Florian. 'Maar meisjes zijn lekker.'

'Klopt,' merkt Janosch op. 'Meisjes zijn lekker. Maar soms zijn ze nog ingewikkelder dan het leven zelf.'

'Zijn meisjes dan niet het leven zelf?' vraagt Bolle.

'Een deel ervan zeker,' antwoordt Florian.

'Welk deel dan?' vraagt Bolle.

'Dat tussen de hals en de navel,' luidt het antwoord van Florian.

'Is leven vrouwelijk?' vraagt dunne Felix.

'Ja natuurlijk,' reageert Bolle.

Janosch pakt een paar blikken bier uit Troys pyjamajasje. Die wil hij de meisjes aanbieden. Meteen als hij de kamer binnenkomt. Hij wil laten zien dat het een vreselijke klus was ze boven te krijgen. Janosch denkt dat Malen valt op jongens die zware taken volbrengen. Dat vindt ze sexy. Daar kan ik haar dus niet mee van dienst zijn. En die arme Troy nu ook niet meer. Hij zet alle bierblikken op de parketvloer. Het is een donkerbruine vloer, opgebouwd uit rechthoeken ter grootte van een bord. Je hoort elke stap. Maar de begeleidster woont aan het andere einde van de gang, Ze merkt niet dat we er zijn, denkt Florian. Janosch klopt op de deur van de kamer. Het is een zacht bonzend geluid. Je hoort het haast niet in de enorme gang. De meisjesgang is groter dan de hoerenvleugel. Er zijn hier zestien kamers. Ze liggen allemaal vlak naast elkaar, op een rij. Bolle zegt dat de begeleiders hier altijd een zware dobber hebben bij het checken. Er zijn te veel kamers en ze zijn te groot. Er zijn te veel kasten en nissen waarin je je uitstekend kunt verstoppen. Al waren er duizend begeleiders, dan nog zou het moeilijk zijn, denkt hij. Janosch klopt voor de tweede keer. Harder nu. Van binnen klinkt een gedempte stem. Het is onmiskenbaar de stem van Malen. 'We wachten al,' zegt ze, 'kom binnen!'

Janosch lacht. Zijn ogen schitteren. Hij neemt een slok bier. Dikke Felix stoot hem aan met zijn schouder. Ze hebben even oogcontact. Opbeurend slaat Janosch zijn arm om hem heen. Dan gaat hij de kamer binnen. De anderen stormen achter hem aan. Ze zijn opgewonden. Zelfs Troy heeft haast de kamer binnen te komen. Ik wacht nog even. Ik blijf op de meisjesgang staan. Ik wip langzaam van mijn rechter- op mijn linkervoet. Ondertussen kijk ik naar de muren. Ze zijn wit. Ongelooflijk wit. Er hangen veel foto's. In grote vier- kante lijsten met glas. Het zijn foto's van vijf bewogen jaren op het internaat. Dat staat er tenminste te lezen. Het zijn beelden van vreugde en verdriet. Een stuk of twaalf mis- schien. Op een ervan herken ik Malen die op een snowboard een hindernis neemt. Haar lange blonde haar wappert in de lucht. Ze glimlacht geforceerd. Ik vraag me af of ze gelukkig is. Of er wel kostschoolleerlingen bestaan die gelukkig zijn. Janosch zegt dat niemand hier gelukkig is. Dat ze allemaal uit moeilijke gezinnen komen. Of gewoon steenrijk zijn. En die zijn meestal nog ongelukkiger.

Voor de folder van het internaat moeten ze allemaal la- chen, zegt hij. Zo gaat dat altijd. Lachen, zodat er later weer andere ongelukkigen in de folder mogen lachen. Zo gaat dat nu eenmaal op een kostschool. Al eeuwenlang.

'Wil die nieuwe soms niet binnenkomen,' klinkt het van- uit de kamer. Ik maak me op om naar binnen te gaan. Ik wil niet dat ze boos worden of zo. Bovendien wil ik niet dat ze nog een keer over de gang schreeuwen. Op den duur is dat link, denk ik.

'Natuurlijk wil hij wel,' klinkt Janosch' stem. 'Hij brandt al de hele avond van verlangen. Hij wilde zelfs de brandtrap opklimmen. Wat wij ook zeiden.'

Ik ga de kamer binnen. Hij is ongeveer twee keer zo groot als de mijne. Hier staan drie bedden. Ze staan over de hele kamer verspreid. Er staat zelfs een klein fornuis. Op de vloer ligt parket. Net als op de gang. Alleen een beetje lichter. De vierkanten ter grootte van een bord zijn hetzelfde. Er zijn drie ramen. Het moet overdag ongelooflijk licht zijn. Voor elk raam staat een rustiek houten bureau. Ze hebben alledrie dezelfde kleur als het parket. Net als de drie grote kasten die naast de bureaus staan. Aan de muur hangen posters. Het zijn er zoveel dat je ze niet eens meer kunt tellen. Er staat of een of andere gespierde vent op die een of ander trutje d'r b.h. uitlikt, of Leonardo DiCaprio. Ik heb de pest aan Leonardo DiCaprio. Terwijl hij er eigenlijk ook niks aan kan doen. Alle vrouwen houden van hem. Dat is voldoende. Zoveel man moet je wel zijn, om dan jaloers te worden. Nogal logisch.

6

De anderen maken het zich gemakkelijk op de vloer. De meisjes hebben speciaal een blauwe wollen deken neergelegd. Die past goed bij de parketvloer. En daar zitten ze dan. De twee Felixen, Janosch, Troy en Florian. Malen, Anna en Marie zitten naast hen. Ze hebben al flink getetterd volgens mij. Er rollen minstens drie lege wijnflessen over de grond. En bovendien nog een kleine Baccardi. Nu drinken ze bier. Malen is geloof ik al aan haar tweede bezig. Janosch zegt dat de meisjes altijd veel drinken. Vaak zijn er op de meisjesgang zuipfeesten. Dat vinden ze grappig. Ik moet toegeven dat ik heel weinig drink. Ik heb altijd het gevoel dat ik dan iets zou kunnen verliezen. Iets dat ik misschien nog nodig heb. Mijn verstand bijvoorbeeld. Geen idee waarom. Maar vandaag drink ik. Marie vraagt me te gaan zitten. Al gauw heb ik een biertje in mijn handen. Ik kijk naar haar. Ze heeft een rond gezicht en gifgroene ogen. Haar huid is een beetje bruin. Haar lange donkerbruine haar is opgestoken. Haar lippen zijn vol. En ze heeft ze, speciaal voor deze avond waarschijnlijk, bloedrood geverfd. Misschien komt het ook wel van de wijn. Haar tanden zijn wit. Je ziet er geen enkel plekje op. Haar wimpers heeft ze met mascara bewerkt en haar oogleden met oogschaduw. Ze is heel slank. Ze verzuipt bijna in haar gitzwarte nachtjapon. Ze heeft grote borsten, voorzover ik dat kan beoordelen. De nachtjapon geeft weinig prijs. Maar op haar borsten kom ik later nog terug.

'Hoe vind je het hier?' vraagt ze.

'Hoe vond jíj het op je tweede dag?' vraag ik.

'Dit ís mijn tweede dag,' antwoordt ze. Ik slik.

'En hoe bevalt het je nu?' informeer ik.

'Ach,' antwoordt ze. 'De alcohol smaakt hetzelfde als altijd.' Ze lacht. Daarbij draait ze haar hoofd opzij. Ik zie haar hals. Daar zit een grote zuigplek. Dat is vrij snel voor de tweede dag. Ik neem een slok bier.

'Hoe heet je?' fluistert ze.

'Benjamin,' luidt mijn antwoord.

'Benjamin, net als die politicus?'

'Ja, Benjamin, net als die politicus.'

'Het is een mooie naam,' zegt ze. Ze neemt een slok bier. Het blik is bijna leeg. Ze drinkt het op. Dan knijpt Marie het blik samen in haar bruine hand. Het kraakt. Ik zie haar nagels, ze zijn roodgelakt.

'Ik heb die naam ook niet zelf uitgekozen,' zeg ik.

'Weet ik,' maar bijna elke naam typeert de mens die hem draagt.'

Ze staat op. 'Kan iemand me nog een blik bier geven?'

Langzaam loopt Marie naar het bureau. Ze wankelt een beetje. Toch is haar manier van lopen elegant. Ik vind haar een mooi meisje. Ze diept een paar kaarsen op uit een la. Rode kaarsen. Minstens vijf centimeter lang. Ik kijk naar Malen. Ze zit naast Janosch. Daar is hij vast blij om. Op de grond liggen twee blikken bier. Janosch schuift steeds dichter naar Malen toe. Ze heeft een wit zijden hemdje aan en een bijpassend slipje. Haar mooie benen liggen sierlijk uitgestrekt op de vloer. Janosch zou ze het liefst aanraken. Dat zie je. Ik kan het hem niet kwalijk nemen. Malen is echt mooi. Haar gezicht heeft ze gepoederd. Haar donkerblauwe ogen knallen eruit als een laserkanon. Ze betoveren je meteen. Ze heeft de nagels van haar vingers en tenen turquoise gelakt. Ze geven een eigenaardig licht. Net als Marie heeft ze haar haren opgestoken. Haar nek is bloot. Door het zijden hemdje zie je haar b.h. Janosch durft nog steeds haar benen niet aan te raken. Steeds weer blijft zijn rechterhand er aarzelend een centimeter boven hangen. Janosch is blijkbaar zenuwachtig. Bolle zegt dat Janosch heel vaak zenuwachtig is als het om meisjes gaat. Dan kan hij bijna niks meer. Hooguit de gentleman uithangen. Maar dat gaat hem niet zo goed af. Hij is gewoon zenuwachtig. Niet meer zo cool als anders. En ook niet meer *crazy*.

Ik luister een beetje naar het gesprek van die twee. Het is eerder een soort gegil. Ze zijn allebei al behoorlijk aangeschoten. Ik vraag me af hoe we ooit weer die brandtrap af moeten komen. Ik neem nog een slok bier. Ik heb het eerste blik al bijna soldaat gemaakt. Lekker spul. Het stijgt naar mijn hoofd. Ik drink anders niet zoveel. Dan merk je dat. Ik luister weer naar hun gesprek. Het gaat over ongelukjes met seks. Vrij naar Verona Feldbusch. Malen vertelt juist: 'En die gozer had een stijve. Een stijve van heb ik jou daar, zeg ik je. En hij heeft ongeveer een uur lang geprobeerd mijn b.h. los te maken, zonder succes. Als dat niet pijnlijk is.'

'Pijnlijk,' antwoordt Janosch. 'Zoiets zou mij niet overkomen.' Ondertussen staart hij naar Malens borsten. Zij heeft het niet in de gaten. Goddank. Opeens gaat het licht uit. Marie is terug. Ze heeft de kaarsen in haar handen. Die verlichten de kamer nu. De vlammen dansen rond de pit. Het ziet er mooi uit. Het doet me aan mijn moeder denken. Die brandde altijd kaarsen. Waar we ook zaten. Soms studeerde ze 's avonds op die gezondheidskunde-onzin. Dan ging ze aan de eettafel zitten en stak een kaars aan. Dat was het enige licht in huis. Zelfs de tv stond niet aan. Alleen die kaars. En het was mooi licht. Zou ze vanavond ook een kaars hebben aangestoken? Ik neem aan van wel. Misschien had ze er geen tijd voor. Misschien had ze ruzie. Ik weet het niet. Ik trek nog een blik bier open. Niet te geloven hoeveel er zijn. Hoe heeft Troy die ooit naar boven gezeuld? Ik neem aan dat dikke Felix hem heeft geholpen. Onder zijn pens vallen die blikken waarschijnlijk niet op. Dikke Felix is bij Anna gaan zitten. Samen met Florian en dunne Felix vormen ze een fraai stel. Ze staan allemaal op het punt hun arm om Anna te slaan. Ze ziet er vandaag weer eens erg mooi uit. Net als Malen heeft ze alleen een slipje aan. Een zwart slipje. Aan de achterkant is het tussen haar billen gaan zitten. Als ze opzij-buigt, kun je haar stevige kont zien. Ik besterf het bijna. Het is toch niet te geloven hoe snel je onder de indruk bent. Je hoeft maar een kont te zien. Janosch zegt dat dat nu eenmaal de jeugd is. Meisjes zijn lekker. Punt uit, basta. Soms vraag ik me weleens af of dat niet anders geregeld had kunnen worden. Als je namelijk eenmaal dertien bent, worden meisjes en konten verdovende middelen. Je komt er niet meer van af. Florian en dikke Felix zijn daar een goed voorbeeld van. Ze vreten Anna haast op. En zelf ben ik ook niet veel beter. Marie is weer bij me komen zitten. Ik kan het niet laten in haar decolleté te koekeloeren.

Ik neem nog een slok bier. Dat maakt het allemaal al een stuk makkelijker. Dan kijk ik weer naar Anna. Ze heeft een zwart T-shirt aan. *Love is a razor* staat er in gele krulletters op. Een waar woord vermoedelijk. Maar misschien ook gewoon bullshit. *Love* is geen *razor* en ook niks anders. *Love* is niet te definiëren. *Love* is... neuken, zou Janosch nu opmerken. Maar dat geloof ik niet. Ik geloof dat *love* meer is. Neuken is neuken. *Love* is iets anders. Muziek misschien. Maar muziek is het beste. Dat zegt Frank Zappa tenminste. Volgens mij ben ik dronken. Waar komt die muziek nou opeens vandaan? O ja, Malen heeft een cd opgezet. Uitgerekend de Rolling Stones – 'I can't get no satisfaction'. In haar slipje loopt Malen met haar lange benen terug naar Janosch. Ze gaat zitten. Ik neem nog een slok bier. Dat spul begint me langzaam aan te smaken. Op de een of andere manier is het grappig. Ik weet ook niet waarom. Ik neem meteen nog een slok. Marie buigt zich over me heen. Dat is een lekker gevoel. Ze wil een paar chips pakken. Florian is van mening dat chips en alcohol een dodelijke combinatie vormen. Daarna moet je meteen kotsen, denkt hij. Ik laat Marie toch chips vreten. Ik stel me haar over de plee gebogen voor. Daar moet ik om lachen. Ik neem nog een slok bier. Het blik is leeg. Vreemd. Ik heb het nog maar net opengemaakt. Nou ja. Zoals ik al zei, ik ben niet gewend om te drinken. Waarschijnlijk ben ik daarom ook niet gewend dat blikken zo snel leeg zijn. Ik pak twee nieuwe. Het zijn de laatste twee. Het tweede blik bewaar ik voor later. Ik zet het naast me op de grond. Dan leg ik er een papieren zakdoekje overheen. Ik wil namelijk niet dat ze mijn bier opzuipen. Dat is zonde, vind ik. Janosch kijkt al om zich heen. Hij heeft vast veel gedronken. En hij wil nog meer. Dat zie je aan hem. In zijn mondhoek hangt een brandende sigaret. De kamer is groot en het raam staat open. Die rook zal zo gauw niemand ruiken. Ook ik haal mijn sigaretten te voorschijn. Het pakje is nog bijna vol. Marie wil er ook een. We steken ze samen aan met haar lucifer. Daarna zwaait Marie ermee. Het vlammetje gaat uit. Ze slaat haar arm om me heen. Uit de luidsprekers komt inmiddels het lied 'The winner takes it all' van ABBA. Een mooi liedje. Ik vind het op de een of andere manier grappig, terwijl het eigenlijk best treurig is. Het gaat weer eens over mensen die uit elkaar gaan. Volgens mij achtervolgt me dat. Ik moet eens naar huis bellen. Al was het maar om zeker te weten dat ze mekaar de hersens niet inslaan. Maar niet nu. Het is nacht. Bovendien is Marie zo dicht bij me. Ze ligt haast boven op me. Ik ruik haar huid. Ik ruik een fantastisch parfum. Het is zoetig, ruikt op de een of andere manier naar Kerstmis. Naar de kerstboom, of het gebak. Ik moet denken aan afgelopen kerst. Ze waren er allemaal. Zelfs mijn oom. Ik hou van mijn oom. Terwijl iedereen alleen maar op hem scheldt. Als je hem nodig hebt, dan is hij er nooit, zeggen ze. Voor mij was hij er altijd. Ook met Kerstmis. Hij werkt voor een van de grote kranten. Die geweldige reportages op pagina drie, die maakt hij meestal. Hij neemt me weleens mee naar de redactie. Dat vind ik leuk. Daar werkt iedereen aan grote tafels. Ze moeten iets vertellen over de wereld. Ik zou dat niet kunnen. Ik kan niet eens een zinnig opstel schrijven. Afgelopen kerst hadden we juist voor internaat Neuseelen gekozen. Jammer voor mij. Want nu kreeg ik alleen dingen die met internaat Neuseelen te maken hadden. Een poster van de streek, kleren voor belangrijke gebeurtenissen, een waszak enzovoort. En ik kreeg plakkertjes. Die mocht ik overal in plakken en mijn naam erop schrijven. Benjamin Lebert. Jezus, wat was ik bang hiernaartoe te gaan. En, jezus, ik ben nog steeds bang hier te zijn. Er zijn nu twee dagen voorbij. Twee dagen en anderhalve nacht. En nu ben ik op de een of andere meisjeskamer en ligt er een meisje boven op me. Dat is misschien een verbetering. Ze kietelt in mijn nek. Op de een of andere manier vind ik dat vreemd. Ik ken dat meisje toch amper. Maar goed. Janosch zegt dat kostschoolmeisjes altijd behoorlijk open zijn. Vooral de nieuwe. Je hoeft alleen maar een beetje anders te zijn. En dan lukt het al. Wat bedoelt Janosch met anders? Ik ben toch hetzelfde als altijd. Of ben ik altijd anders? Waarom ligt dat meisje boven op me? Omdat ze dronken is? Omdat ik dronken ben? Wat maakt het uit. Het belangrijkste is dat ze boven op me ligt. Ik neem nog een slok bier. Ik sta net op het punt iets te zeggen. Maar Marie is me voor. Ik vergeet mijn vraag.

'Mij is verteld dat jij zo bijzonder bent,' zegt ze.

'Bijzonder?' vraag ik. 'Okay, ik ben een mankepoot. Dat is waarschijnlijk bijzonder.'

Ik neem een trek van mijn sigaret. Marie ook. Ze tuit haar volle lippen. Dat ziet er sexy uit. Ik neem nog een slok bier. Het blik is leeg. Ik trek het volgende open. Marie staat op. Ze wil nog wat chips pakken. In het schemerlicht van de kaarsen zie ik haar lichaam. Na een poosje komt ze weer bij me liggen. Ik voel haar bedekte tepels op mijn buik.

'Mij is weleens verteld dat mankepoten ook maar mensen zijn,' zegt ze.

'Wat gek dat ze jou zoveel vertellen,' antwoord ik. 'Mij hebben ze nooit iets verteld. Ik heb alles zelf moeten ontdekken. Maar goed. Je hebt gelijk. Mankepoten zijn ook maar mensen. Zij het dat ze een beetje eigenaardig zijn.' Uit de luidsprekers klinkt nu 'Knocking on Heaven's Door' van Guns 'N' Roses. Eigenlijk ben ik nu helemaal niet in de stemming voor zulke liedjes. Maar ik vind het toch erg mooi. Die oude tekst van Bob Dylan heeft wel wat. Er komt een raar gevoel in me op. Ik neem nog een slok bier.

'In hoeverre ben je eigenlijk een mankepoot?' wil Marie weten.

'Mijn linkerhelft is bijna verlamd,' antwoord ik. Marie zucht.

'Ik kan zowel mijn arm als mijn been amper bewegen. Het voelt aan alsof ze verdoofd zijn. Alleen als iemand me pijn doet, voel ik het.'

Maries gezicht komt nu heel dicht bij het mijne. Onze lippen raken elkaar haast.

'Ik zal je geen pijn doen,' fluistert ze. 'Nooit. En dat mag niemand ooit doen. Want alleen uit mensen die compleet anders zijn, groeit iets nieuws.'

'Hoe oud ben jij?' vraag ik.

'Zestien,' antwoordt zij.

'Dat klinkt al behoorlijk volwassen voor iemand van zestien,' zeg ik.

'Weet ik,' antwoordt ze. 'Ik ben ook volwassen.' Ze grinnikt.

'En wat denk je dan dat er later uit mij groeit?' vraag ik.

'Geen idee,' antwoordt zij. 'Dat zul je dan wel zien. Als het zover is.' En ze begint weer te grinniken.

Ik kijk naar Troy. Hij zit aan het bureau. Eenzaam en alleen. Hij moet al behoorlijk wat hebben gedronken. Dat doet hij volgens dikke Felix altijd. Soms vijf à tien bier op een avond. Janosch denkt dat het niet zo goed valt bij hem. Dat hij op een gegeven moment altijd moet overgeven. Maar dat maakt hem niet uit. Hij drinkt gewoon verder. Tot de volgende ochtend. Onvermurwbaar en keihard. Vlak naast hem ligt dikke Felix op de grond. Hij slaapt al. Hij heeft zijn armen en benen wijd uitgestrekt. Zijn mond staat open. Hij reutelt een beetje. Zijn speeksel loopt op het parket. Volgens dunne Felix heeft hij weer over voetbal zitten lullen. Dus heeft Janosch hem dronken gevoerd. En nu slaapt hij. Rustig en gelukkig.

Ik sta op. Ik moet hoognodig naar de wc. Voorzichtig duw ik Marie van me af. Ze heeft zich inmiddels op mijn benen genesteld. Ik loop naar de deur. Alles draait een beetje. Dat ken ik eigenlijk niet. Ik haal met moeite de klink. Druk hem omlaag. Ga de kamer uit. Niemand ziet me. Ze doezelen allemaal al. Alleen Marie kijkt even op. Ik loop over de meisjesgang. Hij lijkt eindeloos lang. Ik doe er vijf minuten over om bij de deur van de toiletruimte te komen. Ik doe hem open. Het toilet is heel wat mooier en moderner dan dat in de hoerenvleugel. Ik kom in een grote ruimte. Hier is alles wit betegeld. Aan de muur zitten ongeveer zes wastafels. Boven elke wastafel hangt een spiegel. Ik kijk erin. Mijn gezicht ziet er verschrikkelijk uit. Ik loop naar een van de wastafels. Plens wat water in mijn gezicht. Dat is lekker. Ik fris ervan op. Opeens gaat achter me de deur open. Hij piept. Marie is de wc's binnengekomen. Ze waggelt een beetje. Slaperig staat ze voor me.

'Wat doe je?' vraagt ze.

'Ik plens wat water in mijn gezicht,' antwoord ik.

'Is het koud?' wil ze weten.

'Heel koud,' antwoord ik.

'Ik heb op de een of andere manier het gevoel dat we de hele tijd iets achterwege hebben gelaten,' zegt Marie lallend. Ik begrijp haar woorden niet. Ze trekt haar nachthemd over haar hoofd. Ze heeft alleen nog haar zwarte ondergoed aan. Het ziet er mooi uit. Ik zie haar zachte huid. Haar navel. Haar gezicht. Haar borsten. Zij het een beetje wazig. Ze wil iets van me. Dat weet ik. Ze komt op me af. Ik ben bang. Ze raakt mijn hals aan. Ik ga haar steeds weer uit de weg. Ik beef. Ik heb het nog nooit met een meisje gedaan. Die willen toch eigenlijk ook niks van me weten. Ik ben toch te eigenaardig. Bovendien ben ik dronken. Nee, Marie is dronken. Ze maakt haar b.h. los. Ik val bijna flauw. Daar staat ze voor me, topless. Ik zie haar borsten. Ze zijn groot en mooi. Haar tepels zijn roze. Ik moet aan Janosch denken. Hij zou vast zeggen dat ik het niet in mijn broek moest doen. De kans grijpen. En hij zou zeggen dat ik vooral moest graaien. Veel graaien. Ik ken hem. En zijn adviezen. En daarna moest ik Marie gewoon naaien. Naaien, voor Janosch is dat de eervolle benaming voor neuken. Neuken kan iedereen, zegt hij. Maar naaien – naaien niet. Dat is een kunst. Ik zou Marie waarschijnlijk naaien, of neuken, of wat dan ook, als ik het niet van angst in mijn broek deed. Ik heb geen ervaring.

Stel dat ik iets verkeerd doe? Dat maakt niet uit, heeft Janosch me een keer uitgelegd. Op je zestiende moet je gewoon al eens hebben genaaid, vindt hij. Het is toch schandalig dat ik het nog nooit heb gedaan. Op hun zestiende willen jongens gewoon naaien.

Op hun zestiende willen meisjes gewoon genaaid worden. Dus moeten we ze gewoon naaien, vindt Janosch. Marie denkt daar blijkbaar hetzelfde over. Ze trekt net haar slipje uit. Ik zie haar schaamhaar. Het is zwart. Haar venusheuvel ziet eruit als een raam. Breed en kortgeschoren. Ik heb zoiets nog nooit van dichtbij gezien. Ik ken dat alleen uit de *Playboy*. Waarom is de jeugd toch zo grof, vraag ik me af. Naaien voor en naaien na. Ik ben er bang voor. Het gaat allemaal te snel. Ik hou het op de een of andere manier niet bij. Ik ga op een klapstoel zitten. Hij staat dicht bij het raam. Joost mag weten waarom hij hier staat. Misschien om als steun te dienen in dit soort situaties. Ik heb geen idee. Ik druk mezelf tegen de leuning. Marie doet nog een stap in mijn richting. Haar grote borsten hangen nu zowat in mijn gezicht. Ze bukt iets. Met haar zachte vingers streelt ze mijn benen. Haar bovenlichaam beweegt daarbij. Haar tieten wiebelen. Mijn lul wordt stijf. Het moet op de een of andere manier zo zijn, geloof ik. Het is wel goed zo. Toch voel ik me stom. Ik trek mijn pyjamajasje over mijn broek. Daarna leg ik mijn hand erop. Het zweet staat op mijn voorhoofd. Het is nog steeds dezelfde pyjama. *When the going gets tough, the tough gets going.* Ik moet aan mijn vader denken. Marie kust me op mijn voorhoofd. Ik tril. Ik draai mijn hoofd weg. Ach wat, denk ik. Dan naai ik haar toch gewoon. Ik moet een man zijn, zou Janosch zeggen. En een man krijgt het niet meteen Spaans benauwd bij het zien van een paar memmen. Een man moet graaien. Ze bewerken. Een man moet cool zijn, zou Janosch zeggen. Helaas kan hij me nu niet helpen. Ik moet het alleen doen. Op de een of andere manier. Of het tenminste een keer proberen. Ik trek mijn pyjamabroek een stuk omlaag. Marie kan mijn lul zien. Ze haalt een condoom te voorschijn uit de kleren die op de grond liggen. Met haar tanden scheurt ze de verpakking open. Ze doet me het condoom aan. Dat gaat snel. Een vreemd gevoel. Zo strak. Zo rubberachtig. Het voelt aan als een natte ballon. Plakt alleen wat meer. Ik ben zenuwachtig. Het condoom is geel. Ik vraag me af waar ze dat zo snel heeft opgesnord. Janosch zegt dat vrouwen nu eenmaal zo zijn. Die kunnen altijd een condoom opsnorren. Zodat ze ook meteen kunnen neuken. Marie gaat schrijlings op me zitten. Ik geloof dat ik in haar zit. Het is een rotgevoel. Naaien is helemaal niet zo lekker als ze allemaal zeggen. Ik voel me in mijn bewegingsvrijheid beperkt. Mijn lul doet pijn. Maar ik ben een man. Ik graai naar haar tieten. Ik druk ze plat. Lik aan haar tepels. Haar memmen zijn zacht. Ze liggen buitengewoon mooi in mijn hand. Ik denk dat ik ze niet zo een twee drie zal vergeten. Florian is van mening dat je de eerste memmen nooit vergeet. Die zijn beter dan alle andere. Waarschijnlijk heeft hij gelijk. Maries bekken maakt stevigere draaibewegingen. Mijn lul wordt alsmaar dikker. Ze kreunt. Zweet een beetje. Zíj doet trouwens al het werk. Ik zit daar maar. Maar langzaam bevalt het me een beetje beter. Ik voel me goed. Alsof ik twintig cola's heb gedronken of zo. Mijn hele lichaam kriebelt. Mijn lul het meest. Door het gekriebel word ik verder naar boven gedrukt. Ik buig naar voren. Pak Marie bij haar heupen beet.

Omhels haar helemaal. Kneed haar kont. We zoenen. Ze kreunt. Ik haal dieper adem. Marie rijdt en rijdt maar. We zijn er bijna. Mijn lul wordt naar binnen en naar buiten geduwd. Dat is de eerste keer altijd zo, zegt Janosch. Er wordt even geklopt. Iemand kijkt even naar binnen. Iemand zegt even tot ziens. Marie rijdt verder. Het zweet parelt op haar huid. Ik lik het op. Duw mijn kop tussen haar tieten. Ze zegt geen woord. De hele tijd niet. Ze kreunt alleen. Ze gooit haar armen wild in de lucht. Zo meteen kom ik. Misschien nog vijf seconden. Dan kom ik klaar. Ik spuit. De adrenaline jaagt door mijn lichaam. Ik voel me vrij. Hoor vogels kwetteren. Water klateren. Een storm. Mijn lichaam trilt. Op de een of andere manier is dit cooler dan alle andere dingen. Ik weet ook niet waarom. Ik vind het *crazy*. Dat wil ik binnenkort nog eens.

Ook Marie komt klaar. Dat denk ik tenminste. Ze kreunt harder dan anders. Pakt haar eigen borsten. Ze gilt een keer hard. Zakt in mekaar. We zoenen. Voor haar was dat beslist niet de eerste keer. Dat weet ik zeker. Daar is ze te ervaren voor. Janosch zegt dat het goed is om het de eerste keer te doen met een meisje met ervaring. Dan hoef je niet zoveel te doen, vindt hij. Zij weet wel wat er gedaan moet worden. Marie stapt af. Ze strompelt door de toiletruimte. Ze zegt geen woord. Trekt haar slipje weer aan. Even zie ik nog haar kut. Die zal ik me herinneren. Zeker weten. Dat was dus mijn eerste keer. En dat op internaat Neuseelen. En dat de tweede nacht. Dat ging allemaal nogal snel. Ik ben misselijk. Ik voel me ellendig. Alsof iemand in mijn ballen heeft geknepen of zo. Ik kan amper staan. Mijn knieën knikken. Het bier klotst in mijn maag. Door het snelle nummertje met Marie is het dooreen geklutst. Mijn hoofd doet pijn. Mijn ogen tranen. Marie vertrekt. Ik zie haar door de deur naar buiten strompelen. Ze is echt behoorlijk dronken, lijkt me. Ik weet niet eens zeker of ze wel iets heeft gemerkt van haar daad. Misschien doet ze zoiets wel vaker. Wat de gevolgen ook zijn. Misschien wil ze gewoon lol hebben. En heeft ze schijt aan alles. Nou. Het zij zo. Hoe luiden al die wijsheden over de eerste keer ook alweer? Na de eerste keer ben je een man? Dan sta je op eigen benen? Dan is het gedaan met de zoete jeugd? Dan ben je volwassen? Hm? Ik heb mijn eerste keer achter de rug. Maar ik voel me nog steeds een kleine schijt-laars. En ik denk dat dat maar goed is ook. Ik wil helemaal niet volwassen worden. Ik wil een heel gewone jongen blijven. Lol hebben. En als dat nodig is bij mijn ouders weg-kruipen. En dat zou nu allemaal afgelopen zijn? Alleen om-dat ik mijn lul in die geile spleet van Marie heb gestopt? Dat heeft toch niemand gezien. En ik vertel het ook aan niemand.

Onze Lieve Heer moet maar begrip voor me hebben. La-ten we net doen alsof er niets is gebeurd. Op den duur wordt dat hele gedoe me namelijk een beetje te ingewikkeld. Waar-om moet ik eigenlijk ooit volwassen worden? Of laat ik het anders vragen. Welke malloot heeft die term ooit uitgevon-den? Waarom blijven we niet gewoon allemaal kleine jon-gens? Die lol willen hebben? Neuken, lachen, gelukkig zijn. Ik loop rondjes door de wc. Ik ben ontevreden. Alsof de droom uit is of zo. Alsof er iets is afgelopen. Ik sta nog steeds te trillen. Mijn huid is vaal. Ik voel me alleen. Helemaal al-leen op die godvergeten grote wereld. Op een of ander be-lachelijk internaat, het heet ook nog eens Neuseelen. Ja, mijn ziel is nieuw. Dat kan ik wel zeggen. Mijn kloteziel. Ik mis thuis. Mijn ouders. Waarom maken ze ruzie? Waar is mijn zus? En waarom word ik nou in godsnaam zo agressief? Ik heb toch net een meisje genaaid, verdomme. Een straalbe-zopen meisje. Met heel grote tieten en een geile kut. Ze heeft

er waarschijnlijk niet eens iets van gemerkt. Een buiten-
kansje, nietwaar? Ik plens een beetje water in mijn gezicht.
Dan ga ik pissen. Ik moet al een hele tijd pissen. Ik geloof
dat ik het zelfs al een beetje in mijn broek heb gedaan. Ik
heb nog steeds dat vieze condoom aan. Het hangt er al slap
bij. Mijn lul is niet hard genoeg meer. Ik gooi het op de grond.
Dat probleem moeten zij morgen maar oplossen. Als de
werkster het vindt. Als iemand het vindt. Ik ga voor de plee
staan. Doe de bril omhoog. Pis. Ik pis er ook naast. Dat kan
me niks schelen. Even pis ik zelfs opzettelijk tegen de muur.
Zoals ze dat in de hoerenvleugel altijd doen. Dat is grappig.
Het loopt allemaal over de grond. De vloer staat al haast
blank. Nu maak ik er een echt mooie plas van. Dan laat ik
me op mijn knieën vallen. Ik kots. Ik kots een hele poos.

Het was me allemaal een beetje te veel vandaag. In plaats
van slapen een brandtrap opklauteren, zuipen dat het een
aard heeft, nog even een potje neuken en en passant volwassen worden. Dat is genoeg voor een nacht. Ik denk dat
iedereen dan zou moeten kotsen. Ik sta op. Ik wankel de wc
uit. Op mijn pyjamajasje zitten een paar bruine vlekken. Het
kan me niks schelen. Merkt toch niemand, denk ik. Op de
tegelvloer ligt het gele condoom. In het puntje loopt het witte vocht bijeen. Je kunt het goed zien. Daar heeft morgen
nog iemand plezier van, denk ik. Malen misschien. Een van
de begeleidsters misschien. Ik ga de meisjesgang op. Zie al
die foto's aan de muur. Zie de foto van Malen en van de andere meisjes. Luister naar het geluid van mijn voetstappen.
Ik ben alleen. Niemand die me helpt. Ik sta voor kamer 330.
De kamer van Malen. Een heel normale deur van grijs tri-
plex, met een heel normale klink van messing. Ik duw hem
omlaag.

7

Hoe moet je het leven op het internaat omschrijven?

Zwaar? Saai? Vermoeiend? Eenzaam, schiet me te binnen. Ik voel me eenzaam. Hoewel ik de hele dag met anderen samen ben. Laten we eens beginnen met een doorsneedag. Om half zeven word ik wakker. Begeleider Landorf staat in de deuropening.

'Het wordt tijd,' zegt hij.

Langzaam til ik mijn hoofd op. Kijk naar Janosch. Ik zie alleen zijn verwarde haar. We hebben nog een halfuur. Janosch wil dat gebruiken om te slapen. Hij wast zich nooit 's morgens. Ik sta op. Pak mijn toilettas. Slof door de hoerenvleugel. Ontbijt om kwart over zeven. Broodjes, chocopasta, yoghurt. De school begint om kwart voor acht. In het begin moeten we alleen leren. Zitten en leren. Silentium noemen ze dat. Zoiets hebben ze alleen op kostschool. Meestal val je erbij in slaap. Achter het boek dat je rechtop houdt. Soms valt het om. Pijnlijk. Daarna beginnen de lessen. Zes uur per dag. Ook op zaterdag. Een grote pauze na het tweede uur, een kleine na het vierde. Dan haal je belegde broodjes uit de vitrine bij de eetzaal. Ze smaken belabberd.

Kwart over een: middageten. Wat we krijgen, kun je zien op het overzicht bij de ingang van de eetzaal. Meestal rijst met de een of andere saus. Om de zes weken heb je tafelcorvee. Terwijl de anderen eten, moet jij rondlopen. Dekken en afruimen. Als alles klaar is, ben je zelf aan de beurt. Je eet samen met het personeel in de keuken. Na het middageten heb je een uur vrij. Dan huiswerk maken. Dan avondeten.

Twee uur vrij. Wassen. Slapen. Voor de zestienjarigen is het bedtijd om half elf.

Hoe moet je het leven op het internaat omschrijven?

Ik ben hier inmiddels vier maanden.

Ik ga de kamer van Troy binnen. Er valt een beetje licht binnen door het openstaande raam. De gordijnen wiegen in de wind. Hun schaduwen dansen over de versleten parketvloer. De vloer is grijs. Er gaat een sombere sfeer van uit. Aan de muur vol gaten hangen een paar posters. Er staan verschrikkelijke taferelen uit de Tweede Wereldoorlog op. Gillende kinderen. Platgebombardeerde steden. Wanhopige soldaten. Ernaast hangen een paar krantenknipsels over de SS. Ik zie walgelijke tronies. Goebbels. Göring. Hitler. Op de muur staat in de kleur van bloed de volgende zin: *Is this the way life 's meant to be?* De letters lopen in elkaar over. Maar ze zijn toch goed te lezen. Er staat hier maar één bed. Het staat midden in de kamer. Het kussen en het dekbed zijn dooreen gewoeld. Er is een scène uit de fantasy-film *Dragonheart* op te zien. Een gigantische vuurspuwende draak vecht met een ridder van de ronde tafel. *We will allways succeed!* staat erop. Het bureau staat rechts van het raam. Er ligt van alles op, voornamelijk boeken, potloden en foto's. Op de vensterbank ligt een stapeltje tekeningen. Er staan naakte vrouwen met grote borsten op. Ik ben hier nooit eerder geweest. Op de een of andere manier schaam ik me. Ik ga een stap verder de kamer in. Tegen de linkermuur staat een stellingkast. Alles staat vol boeken. Troy zelf staat er voor en pakt er zojuist een uit. Stephen King, *Misery*. Dat is een te gek boek. Ik ken het. Het gaat over een romanschrijver die een auto-ongeluk krijgt. Hij komt ten slotte bij een gestoorde vrouw terecht. Die mishandelt hem. Hakt zijn been af en dat soort dingen. Ze zegt dat ze zijn grootste fan is. Dat hij een boek voor haar moet schrijven. Als hij dat niet kan, zal hij sterven. Heel simpel. Het is een meesterlijk boek. Op mijn oude school heb ik ooit voorgesteld het met Duits te lezen. Toen kreeg ik een drie. We hebben toen *Seelenfeuer* gelezen, een kloteboek. Ik begreep er niks van. Geen woord. Voorzover ik me kan herinneren, hebben we op school altijd alleen maar boeken gelezen waar ik niks van begreep. Schrijvers spreken altijd maar in raadselen. Eigenlijk kunnen ze beter meteen een boek met quizvragen schrijven of zo. Waarschijnlijk heb ik er de ballen verstand van. Maar toch. Ik loop naar Troy toe. Ga bij hem op het bed zitten. Op de rand uiteraard. Ik wil hem niet vervelen. Hij fronst zijn voorhoofd van kwaadheid. Hij houdt *Misery* omhoog. Het boek heeft een groen omslag. De letters erop zijn zilverkleurig. In een bepaald licht glinsteren ze heel mooi. Die vent is binnen, denk ik. Die heeft geen problemen meer. Stephen King heeft miljoenen op zijn bankrekening. Hem kan het niet schelen of zijn zoon wel of geen vier heeft voor wiskunde. Hij leeft verder. Schrijft zijn boeken. Is gelukkig. Stephen King kan mijn rug op, denk ik. De afgelopen weken heb ik weer twee proefwerken gehad. Volgens mij heb ik ze allebei verknald. Maar ik heb ze nog niet teruggekregen. Wiskunde en Duits.

Het werkt op mijn zenuwen, zoals zo'n beetje alles de laatste tijd.

Het bed waar ik op zit is ongelooflijk zacht. Het liefst zou ik nu slapen. Dat heb ik ook hard nodig. Vannacht zijn we weer op pad geweest. Beneden bij de eetzaal. Een beetje roken. Een beetje lullen. Een beetje gelukkig zijn. Janosch zegt dat we dat in het vervolg vaker moeten doen. Maar ik weet niet of dat zo goed is. Iedereen heeft op zijn tijd een beetje slaap nodig, denk ik. Ik kijk om me heen. De kamer is echt klein. Zou Troy het hier naar zijn zin hebben? Ik weet het niet. Ik leun achterover. Kijk op mijn horloge. Half zes. Nog een uur voor het avondeten.

'Troy, wat ben je aan het doen?' vraag ik.

'Niets,' antwoordt hij.

'Maar iets moet je toch doen!'

'Nee, dat moet ik niet,' zegt hij.

Ik draai mijn hoofd een beetje opzij. Strijk met mijn hand over mijn haar. Troy blijft naast me zitten. Er loopt een vlieg over zijn gezicht. Hij probeert hem niet weg te jagen. Blijft kalm. Hij rolt met zijn ogen. Hij kucht.

'Waarom ben je alleen, Troy?' probeer ik nog een keer. 'Waarom wil je zo graag alleen zijn?'

Troys ogen kijken in de verte. Hij vecht met zichzelf. Zulke vragen krijgt hij zelden te horen. Hij hoeft daar zelden antwoord op te geven. Hij schraapt zijn keel.

'Ik ben anders, weet je,' zegt hij met een diepe stem. 'Gewoon anders. De mensen houden niet van mensen die anders zijn. Dat is zo. De mensen zien mij niet staan. Ze mogen me niet.' Troy kijkt me aan. Zijn ogen trillen. Het is voor het eerst dat ik hem zoiets hoor zeggen. Zijn ogen kijken me welwillend aan.

'Maar wij mogen je toch, Troy!' antwoord ik. Ik wrijf over mijn linkerarm. 'Wij mogen je graag.'

'Jullie nemen me waar,' zegt Troy. 'Maar jullie mogen me niet. Jullie nemen me alleen altijd mee omdat jullie me mee moeten nemen. Om bier te dragen misschien. Of om op te schelden. Janosch heeft altijd iemand nodig om op te schelden.'

'Maar je hoort erbij,' zeg ik. 'Net als Florian of dikke Felix. Je bent een van ons. Een held, zou Janosch zeggen. Zonder jou zouden we niet veel voorstellen.'

'Ik ben geen held,' antwoordt Troy. 'Niemand heeft me ooit zien staan. Ik ben een bedzeiker. Kijk zelf maar!'

'Langzaam trekt hij het *Dragonheart*-dekbed opzij. Er zit een grote vlek in het laken.

''s Nachts gebeurt het gewoon,' zegt hij. 'Ik pis in bed. Waarom weet ik ook niet. Zoiets zou niemand begrijpen. Daarom ben ik liever alleen. Als je alleen bent, kan niemand je kwetsen.'

Troy staat op. Hij loopt naar het raam. Daar blijft hij een moment staan. Dan komt hij terug naar het bed. Hij gaat zitten.

'Ben jij weleens bang?' vraagt hij. 'Ik bedoel niet bang voor een proefwerk. Of voor de begeleider. Maar echt bang. Bang voor het leven. Weet je?' Troy slikt. Hij leunt naar voren.

'Leven ís bang zijn,' zeg ik. Ik voel me ongemakkelijk. Eigenlijk heb ik er nog nooit over nagedacht. Maar ik denk dat het klopt.

'Dat kan niet anders,' zeg ik. 'Waarom weet ik ook niet, maar op de een of andere manier kan het niet anders! Misschien omdat de mensen anders alleen maar onzin uit zouden halen. Omdat ze immers niet meer bang zouden zijn.'

'Maar kan het daarom dan nooit anders?' vraagt Troy. 'Ik wil niet voortdurend bang zijn. Alles gaat zo snel. Ik hou het niet bij. Ik ben bang.'

'Je hebt gelijk Troy,' zeg ik. 'Het gaat allemaal te snel. Waarom kunnen we niet wachten? Kijken? Terugspoelen?'

'Waarschijnlijk omdat het leven geen videoband is,' antwoordt Troy bedeesd.

'Wat dan wel?' vraag ik. Troy wordt zenuwachtig. Hij wrijft over zijn ogen. Er verschijnen zweetdruppels op zijn voorhoofd. Hij haalt diep adem.

'Het leven is...' Hij hapert. Trilt. Zijn bovenlichaam wiegt heen en weer. De vlieg verlaat zijn gezicht. Zoekt een rustiger plek op. De stoel. De tafel. Hij kruipt verder.

'Is...?' herhaal ik.

'Is één groot in-bed-zeiken,' gooit hij er uiteindelijk uit.

Hij huilt. Dikke tranen biggelen over zijn wangen. Zijn ogen worden dik. Hij snikt. Ik schuif iets dichter naar hem toe. Dat was niet mijn bedoeling. Voorzichtig aai ik met mijn rechterhand over zijn rug.

'God helpt me niet,' stottert Troy. 'Hij helpt me gewoon niet. Hij zit maar zelfvoldaan daarboven en doet niets voor me.' Troy slaat zijn handen voor zijn gezicht. Hij buigt voorover. Hij huilt. Je hoort hem stilletjes jammeren.

'Ooit zal hij ons helpen, Troy,' zeg ik. 'Ooit. Ooit redt hij ons uit deze klotezooi hierbeneden en helpt ons, Troy. Jou en mij. Dan kunnen we allebei lachen. Als alles achter de rug is. Als het leven niet langer één groot in-bed-zeiken is!'

'Het leven blijft één groot in-bed-zeiken, altijd!' antwoordt hij wanhopig. Zijn huid is rood. De tranen stromen over zijn wangen.

'Ik kan niet meer, Lebert!' zegt hij. 'Ik kan niet meer! Waar moeten we verdomme naartoe?'

Hij is aan het eind van zijn Latijn. Dat zie je. Op een gegeven moment wordt het iedereen een keer te veel. Ook die stille Troy. Janosch noemt dat de 'hoerenkast-fase'. Als er niks meer klopt. Als je er genoeg van hebt. Dan ontplof je gewoon, zegt Janosch. Hij zegt dat dat heel goed is. Anders zou je doodgaan, zegt hij.

Ik weet niet of dat zo goed is. Volgens mij scheld je alleen op dingen die helemaal geen aanleiding geven om te schelden. Geen idee. Van Troy had ik zoiets in elk geval nooit verwacht. Ik heb altijd gedacht dat die gewoon leefde. Zoals de maan of de sterren. Dat hij nooit in de 'hoerenkast-fase' zou komen. Maar zo kun je je vergissen. De jeugd is gemeen, vindt Janosch. In die periode heeft iedereen zo zijn problemen. Troy ook. Hij snuit net zijn neus. Ik aai hem steeds weer over zijn rug.

Ik moet aan mijn ouders denken. Aan de weekends die we de laatste tijd samen doorgebracht hebben. Op de een of andere manier was dat moeilijk. Ik kon me nooit echt ontspannen. Het gevoel terug te moeten naar het internaat achtervolgde me voortdurend. Alles wat ik deed was verkeerd. Ik was pissig. Op mezelf. Op mijn vader. Mijn moeder. Mijn zus. Pissig dat er aan alles een einde komt. En dat ik nu ergens anders mijn draai moet vinden. Op het internaat dus. Janosch zegt dat dat de tragiek van de kostschoolleerling is. Dat hij zondagavond terug moet. Afgelopen. Basta. En altijd moet hij een goed humeur hebben. En altijd die goeie ouwe gemeenschapszin. Eén voor allen en dat soort dingen. Dat is nogal vermoeiend, vindt hij. Dan is het thuis toch leuker. Ik denk dat hij gelijk heeft. Ook al maken mijn ouders veel ruzie. Mijn moeder heeft bijna elk weekend dat ik thuis was gehuild. Ze zat in de keuken. De tranen stroomden over haar wangen. Net als bij Troy. Mijn zus zat naast haar om haar te troosten. Ze waren allebei woedend op mijn vader. Ik zat er steeds tussenin. Wilde niet met zijn allen tegen eentje tekeergaan. Ik vond dat we op de een of andere manier allemaal schuld hadden. Het is volgens mij allemaal behoorlijk ingewikkeld. In elk geval te ingewikkeld voor mij. Ik snap het niet. Als ik niet beter wist, zou ik zeggen dat ik een 'hoerenkast-fase' nodig had. Dat ik alles er eens uit moest gooien. Om alles recht te trekken. Het doet pijn als ik mijn moeder zie huilen. Soms is dat het laatste beeld dat ik van haar zie voordat ik terugga naar Neuseelen. Huilend. In de keuken. Op de rode keukenkruk. Voor het raam. En dan zeggen ze nog dat de jeugd het makkelijk heeft. Dat zeggen alleen de mensen die hun jeugd achter de rug hebben. Waarschijnlijk verlangen ze ernaar terug. Volgens mij moeten ze dat niet doen. Mijn god, wat een ellende toch allemaal. Troy kan erover meepraten. Ik heb geen idee hoe ik hem moet troosten. Ik kan moeilijk tegen hem zeggen dat hij gewoon moet ophouden met in bed te zeiken. En ik zou hem zo graag helpen. Ik heb met hem te doen. Die jongen heeft het echt nooit cadeau gekregen, denk ik.

'Laten we vluchten,' zegt hij. 'Gewoon weglopen. We halen de jongens en gaan ervandoor. Ergens heen. De wereld is groot. Ik hou het niet meer uit hier!'

'Dat kan niet,' antwoord ik. 'Ze gaan naar ons op zoek en ze vinden ons. De wereld is kleiner dan jij denkt. De wereld van het internaat tenminste. We kunnen niet weglopen. Het is te riskant.'

'Als we voortmaken, lukt het,' antwoordt Troy. 'We kunnen naar München gaan. Voor het eten nog. Er gaat een bus naar Rosenheim. En daarvandaan verder met de trein.' Troys blik zoekt de mijne. Hij kijkt me verdrietig en leeg aan. Die jongen meent het serieus. Dat zie je.

'Laat me alsjeblieft niet langer toeschouwer zijn,' zegt hij. 'Laat me niet in het donker naar het podium staan gapen. Ik heb mijn hele leven naar het podium staan gapen. Nu wil ik op dat podium. Iets geks doen. Iets dat nog nooit iemand heeft gedaan. Iets dat *crazy* is.'

'*Crazy?*' vraag ik.

'*Crazy,*' antwoordt hij.

Ik wacht even. Op de een of andere manier zie ik het niet zo zitten. Ik wil niet weglopen. Dat wordt vast geen lolletje. Waar moeten we slapen? Op Neuseelen gaat de poort om elf uur dicht. Daarna kan er niemand meer in of uit. Des te beter, zou Janosch zeggen. Dan slapen we toch gewoon in München. De vraag is alleen waar. De mensen van het internaat zullen ons ongetwijfeld gauw missen. Dat wordt me een opschudding. Langzaam leun ik achterover. Haal eens diep adem.

'Heeft iemand dat weleens gedaan?' vraag ik.

'Wat?' vraagt Troy.

'Nou, stiekem naar München gaan en daar blijven slapen. Gewoon zomaar. Zonder je af te melden.'

'Zolang ik hier ben nog niet,' antwoordt Troy. 'En al helemaal niet op onze leeftijd. Dan kun je je dat nog niet permitteren. Dan is het haast een misdaad.' Hij lacht.

'En waarom kunnen wij het ons dan wel permitteren?' werp ik tegen.

'Omdat wij de besten zijn,' antwoordt Troy. 'Moet je nagaan! Wie zou het bezopenste idee aller tijden beter in daden kunnen omzetten dan wij zessen? Janosch, de twee Felixen, Florian, jij en ik. Wij zijn in de wieg gelegd voor bezopen ideeën. Troy lacht. Zijn ogen schitteren. Ik geloof niet dat hij ooit zo vrolijk is geweest. Hij is helemaal door het dolle heen. Zijn bovenlichaam wipt naar voren. Aan de buitenkant van zijn ogen drogen de tranen op. Er blijven rode vlekken achter.

Troy, de zwijgzame, is uit zijn schulp gekropen. Dat merk je. Hij is aan de beterende hand. Rond zijn zojuist nog sombere, verbeten mond speelt nu een glimlach. Hij staat op.

'Wij zessen,' zegt hij.

8

'Willen jullie weglopen?' vraagt Janosch enthousiast als ik hem uit onze kamer meesleur. Ik heb net de belangrijkste spullen in mijn blauwe rugzak gestopt. Water. Een paar repen chocola. Iets te lezen. Je kunt nooit weten. Misschien kom ik aan lezen toe. 't Zou kunnen. Janosch grinnikt. Zijn ogen schitteren van avonturierslust. Hij is volgens mij tamelijk opgewonden.

Florian zegt dat Janosch dit soort dingen geweldig vindt. Hij wilde altijd al eens weglopen, zegt hij. Alleen had hij het nooit aangedurfd. Nu heeft hij de hele horde achter zich. Nu moet hij meedoen. Daarvoor is hij immers *crazy*, zegt Florian. Florian, die ze allemaal met *meisje* aanspreken, doet ook mee. Hier is het allemaal veel te saai, zegt hij. Hij heeft speciaal dunne Felix meegetroond. Die zag het eerst niet zo zitten. Hij vond het allemaal veel te riskant.

Maar nu doet ook hij mee. En zo hoort het ook. Het is allemaal veel te opwindend om het aan je neus voorbij te laten gaan. Hetzelfde geldt waarschijnlijk voor dikke Felix. Hij is 's middags een paar uur gaan slapen. Hij weet nog niet welk geluk hem te wachten staat. Janosch gaat hem wakker maken. Dat vinden wij niet zo'n geweldig idee.

'Jij bent te lomp,' zegt dunne Felix.

'Ik te lomp?' vraagt Janosch. 'Hoor es! Bolle is toch dol op mij! Hij vindt het vast geweldig om stiekem met mij naar München te gaan. Ik ken hem toch.' Janosch gaat de kamer van Bolle binnen. Het duurt nog geen twee minuten, dan komt hij weer naar buiten met dikke Felix op sleeptouw.

Felix ziet er slaperig uit. Hij heeft heel kleine oogjes. Zijn verwarde haar hangt voor zijn gezicht. Het ziet er grappig uit. Iedereen lacht. Op zijn wangen staan nog de afdrukken van de lakens. Wild gooit hij zijn armen omhoog.

'Jullie zijn knettergek!' zegt hij.

'Natuurlijk zijn we knettergek,' antwoordt Janosch. 'Daarom hebben we iemand nodig die niet knettergek is. En aangezien onze begeleider Landorf wel niet mee zal gaan, moesten we meteen aan jou denken!'

'Jullie hebben gelijk,' antwoordt Felix. 'Maar juist omdat ik niet knettergek ben, ga ik niet mee.'

'Dat dachten we al,' antwoordt Janosch. 'Maar we hebben je nodig! Je moet meegaan! Je bent onze branding in de rots!'

'Jullie branding in de rots?' herhaalt Felix.

'Ja, ons lekkere ding,' legt Janosch uit.

'Waarom zou uitgerekend ík jullie lekkere ding zijn?' wil dikke Felix weten.

'Omdat Malen niet meegaat,' antwoordt Janosch. 'Daarom ben jíj ons lekkere ding. Maar ik denk dat je die rol wel aan zult kunnen. Je hebt per slot van rekening minstens even grote borsten.' Janosch slaat zijn arm om dikke Felix.

'Mag ik een rugzak met snoep meenemen?' vraagt hij. 'Ik heb het gewoon nodig. Ik kan er ook niks aan doen.'

'Je mag meenemen wat je wilt,' legt Janosch uit. 'Als het maar geen varkensrollade is of dat soort dingen. Schiet op!'

'Nu breng je me op een idee,' merkt Bolle op. 'Het schijnt dat ze in München varkensrollades in alle soorten en maten hebben. Denken jullie dat ik er een zal kunnen krijgen?'

'Zo ja, ga je dan mee?'

'Zeker weten,' verkondigt Felix.

'Jij doet ook altijd alleen maar mee als er iets te vreten valt,' zegt Janosch geïrriteerd. 'Eigenlijk ben je al veel te vet!'

'Te vet misschien,' zegt Felix, 'maar wel jullie branding in de rots hè? Dat zei je toch?'

'Ja, ja,' antwoordt Janosch. 'Schiet nou maar op! Een stad als München wacht niet eeuwig op ons!'

'Is München echt cool?' wil dunne Felix weten, terwijl Bolle in zijn kamer verdwijnt.

'München is cool,' zegt Janosch.

'*Crazy*,' voegt Florian eraan toe.

'Zijn er meiden?' vraagt dunne Felix.

'München is een miljoenenstad,' zegt Janosch. 'Daar vind je net zoveel meiden als varkensrollades. Op elke hoek van de straat.'

'En gaan we er echt naartoe?'

'Natuurlijk gaan we ernaartoe. We zijn mannen.'

'En wanneer?'

'Nu meteen. Tenminste als Bolle zo komt.'

Er komt een grote rode rugzak de hoek om. Hij is tot boven aan toe volgestouwd. Onder de ritssluiting zit een zak Haribo. Die paste er bijna niet meer in. Dat kun je zien. Dikke Felix doet de deur van de kamer dicht. Hij komt met behoedzame passen op ons af. Op mijn horloge is het kwart over zes.

'Goddank valt zo'n kolossale rugzak niet op,' merkt Janosch op terwijl we de berg af stuiven. 'Nu komt er vast en zeker niemand op het idee dat we langer wegblijven, Bolle! Dat heb je weer goed voor mekaar!'

'Sorry,' antwoordt dikke Felix. 'Maar jij zei zelf dat ik mee mocht nemen wat ik wilde.'

'Ja,' zegt Janosch. 'Alleen dacht ik daarbij niet aan een babyolifantje.'

'Op dit moment,' constateert Felix. 'kunnen we er toch

niks meer aan veranderen. We zijn al op pad. Wil er iemand een stuk chocoladebolus?'

'Ik stop die chocoladebolus zo meteen in je reet,' zegt Janosch.

'Betekent dat dat je er niks van wilt?'

'Nee, eigenlijk niet!'

Op dat moment laat kleine Florian, die ze allemaal alleen met *meisje* aanspreken, zich horen: 'Ik wil jullie niet ontmoedigen,' zegt hij. 'Maar waar slapen we vannacht in 's hemelsnaam?'

'We vinden wel wat,' antwoordt Janosch. 'München is groot. Is iemand van jullie soms bang?'

'Ik ben niet bang,' zegt dunne Felix.

'Ik ook niet,' verkondigt Florian. 'Nou ja, een beetje misschien. Maar dat gaat wel over, toch? Ik bedoel, zo erg zal het toch niet worden.'

'Dat gaat over,' legt Janosch uit. 'We redden het wel.'

'Over?' herhaalt dikke Felix. 'Dat gaat over? Dat gaat nooit over. Ik doe al twee jaar mee aan al die achterlijke dingen. En ik ben nog steeds bang. Soms vraag ik me af waarom ik me iedere keer weer laat overhalen.'

'Omdat je niet zonder kunt,' zegt Janosch. 'We kunnen geen van allen zonder. We zijn jong. Zelfs Troy kan niet zonder.'

'O nee,' verkondigt Bolle. 'Ik kan best zonder en Troy ook. Nietwaar Troy? Kun jij niet zonder?'

'Inderdaad,' zegt Troy. Hij loopt helemaal achteraan. Hij marcheert langzaam de berg af. Ik loop naast hem over de geasfalteerde weg. Die is net breed genoeg voor een auto. Hij slingert in talloze bochten naar boven. Naar het kasteel. Omgeven door een groot aantal bomen. Hier is alles groen. Het ziet er mooi uit. Het zonlicht dringt door de vele kruinen heen. Op de grond tekenen zich lichte vlekken af. Janosch en de anderen lopen er dwars doorheen. Ik denk na.

Hoe vaak ben ik deze weg al omhooggereden? In de oude Renault van mijn vader? Hoe vaak heb ik al gehuild? Gezegd dat ik hier niet wil blijven. Dat het allemaal zo vreselijk is. Dat ik niet meer kan. Mijn vader werd elke keer kwaad. Zei dat ik me moest vermannen. Dat het leven nu eenmaal zo was. Dat hij er ook niks aan kon doen. Daar moest iedereen doorheen. Heel simpel. En daarna leverde hij me dan af. Met mijn koffer. Een groene reistas. In de zijvakken zaten twee cd's. The Rolling Stones *Collection 1 + 2*. Mijn vader zei dat dat zou helpen. Dat zou me energie geven. Levenslust. Ik weet niet. Ik denk dat het allemaal gezwam is. Eerst heb ik nog vijf minuten op de parkeerplaats van Neuseelen staan huilen. Daarna ben ik naar boven toe gegaan. Naar mijn kamer. Naar Janosch. Eigenlijk heeft hij me nooit echt getroost. Maar hij was er. Heeft een sigaret met me gerookt. Gepraat over het leven. Het afgewezen. Op de een of andere manier was ik blij hem te zien. Janosch is een rots. Dat weet iedereen. Zelfs dikke Felix weet dat. Ook al wil hij het soms niet toegeven. Florian zegt dat je zo'n rots nu eenmaal moet hebben in je leven. Dan blijf je op het rechte pad. Hoef je nooit bang te zijn. Ik denk dat hij gelijk heeft. Zolang Janosch er is, ben ik niet bang. En dat terwijl hij niet bijzonder groot is. Of sterk. Hij is gewoon Janosch. Dat is genoeg.

'Zie je wel Bolle, dat je niet zonder kunt!' zegt Janosch en begint te schaterlachen. 'Je kunt gewoon niet zonder! Niet zonder ons! Als Troy al niet zonder ons kan, dan kun jij zeker niet zonder ons.'

'Onzin,' antwoordt dikke Felix. 'Niemand heeft jullie nodig. Ons nodig. Waarom bestaan we eigenlijk? De wereld zou toch precies hetzelfde zijn als wij niet bestonden.'

'Dat denk ik niet,' werpt dunne Felix tegen. 'Dat wij bestaan heeft beslist een reden.'

'En die is?' vraagt Janosch.

'Nou ja,' antwoordt Felix. 'Dat weet ik eigenlijk ook niet.
De reden is misschien dat we alles mogen zien.'

'Alles mogen zien?' vraagt Janosch. 'Betekent dat soms dat
we alleen toeschouwers zijn. Doodgewone toeschouwers?'

'We zijn allemaal alleen toeschouwers,' antwoordt Felix.
'We krijgen allemaal ons plekje op een massakerkhof. En niemand zal meer belangstelling voor ons hebben.'

'Kan het nog somberder?' vraagt Bolle. 'Misschien word
ik wel beroemd. En als ik doodga, huilt iedereen om mij. Zoals bij Lady Di.'

'Maar dat is toch iets heel anders,' zegt Janosch. 'Lady Di
is altijd Lady Di geweest. En ze zal ook altijd Lady Di blijven.
Iedereen zal zich haar blijven herinneren. Maar ons zal niemand zich herinneren. Zo is het leven. We zijn nu eenmaal
maar kostschoolleerlingen. Die herinnert niemand zich.'

'Het is frustrerend allemaal,' zegt Bolle. 'Ik bedoel, wij leven toch, iets moeten we toch in gang hebben gezet.'

'Ja, we zijn weggelopen uit het internaat,' zegt Florian.
'Waarschijnlijk zijn ze al naar ons op zoek.'

'Nee, ze zijn nog aan het eten,' antwoordt Janosch.

'Wacht eens even, jongens,' zegt Bolle. 'Hoe kunnen we eigenlijk leven zonder te weten waarom?' vraagt hij.

'Och, volgens mij is dat heel simpel,' zegt Janosch. 'Eigenlijk doen we toch voortdurend dingen zonder te weten waarom. Nu bijvoorbeeld. Stel je nou maar niet aan! Misschien
is het maar goed dat niemand zich zorgen maakt over ons.
Bovendien: natuurlijk zullen we ons iets herinneren.'

'Herinneren, wat?'

'Nou, elkaar,' antwoordt Janosch.

'Elkaar?'

'Ja, elkaar,' luidt Janosch' antwoord. 'Ik besluit bij deze dat ik me jullie zal herinneren. En al die maffe dingen die we hebben beleefd. Dan leven we toch op de een of andere manier voort. Ik weet weliswaar ook niet hoe, maar het is zo.'

'Weet je dat wel zeker?' vraagt Bolle.

'Heel zeker,' zegt Janosch. 'Zullen jullie het je dan niet herinneren?'

'Ja, hallo,' werpt Florian tegen, die ze allemaal alleen met *meisje* aanspreken.

'Ik ook,' brengt dunne Felix in het midden.

'En jij niet, Bolle?' vraagt Janosch.

'Ik heb bedenktijd nodig. Maar ik denk dat ik me jullie ook zal herinneren. Per slot van rekening waren het allemaal best *crazy* dingen.'

'Zie je nou wel!' zegt Janosch. 'Dus leven we voort. Vertel het aan je kinderen en kleinkinderen. Het blijft weliswaar binnen een kleine kring. Maar we leven voort.'

'Troy ook?' vraagt Florian.

'Troy ook,' antwoordt Janosch. 'Als we voortleven, dan allemaal. Waar is Benni?'

'Hier!'

We schieten lekker op. We zijn al bijna in het dorp.

Het is het oude liedje. Over zes kostschoolleerlingen. We lopen vlug naar beneden. Het begint al te schemeren. Ik ben bang. Waarvoor weet ik ook niet. Waarschijnlijk voor de nacht. Daar heb ik nooit erg van gehouden. Die zit zo vol geheimen. Die is zo leeg. Zo duister. 's Nachts zijn alle goede dingen zwart. Terwijl zwart toch mijn lievelingskleur is. Maar alleen als het licht is, geloof ik.

Janosch zegt dat we de laatste bus nog halen als we geluk hebben. Daarmee gaan we naar Rosenheim. Een kleine stad in Beieren. Florian zegt dat daar veel rechts-extremisten wonen. Hij wil er liever niet lang vertoeven. Dat zal wel lukken, denkt Janosch. We gaan meteen met de trein verder. Naar München. Naar de grote stad. Waar ik woon. Waar mijn ouders zijn. Waar ze ruzie maken. Laatst heb ik met mijn zus gebeld. Ze zei dat het verschrikkelijk was allemaal. Ze wisselden geen zinnig woord meer. Mijn vader woont nu in een hotel. Hotel Leopold. Ze heeft me zijn nummer gegeven. 089 367061. Ik heb hem niet gebeld. Wat zou ik ook met hem moeten bespreken? Hij zou alleen maar op me inpraten. Hoe erg het hem allemaal speet en dat soort dingen. En dat er voor mij niet veel zou veranderen. Dat is allemaal lulkoek. Natuurlijk verandert er voor mij iets.

Wat is dat nou weer? Ik kijk om me heen. Zie mijn vijf maten. Ze kijken allemaal een beetje zorgelijk. De onzekerheid staat in hun ogen te lezen. Janosch, de leider, loopt voorop. Met neergeslagen ogen. Hij heeft een zwarte polo en een witte spijkerbroek aan. Zijn blonde haar hangt voor zijn gezicht. Bij elke stap beweegt zijn halsketting waaraan een medaillon bungelt met een foto van zijn ouders. Die ketting doet hij nooit af. Ook niet als hij slaapt. Dikke Felix zegt dat Janosch van zijn ouders houdt. Meer dan van wat ook ter wereld. Dat hij soms zelfs huilt. Na een langere periode bij hen. En hij wil niets liever dan bij hen zijn. Als het even kan.

Naast hem loopt kleine Florian, die ze allemaal alleen met *meisje* aanspreken. Hij waggelt. Zijn ogen spelen met de natuur. Ze zoeken steeds weer het licht. Kijken steeds weer naar de zon. Hoe ze ondergaat. Hij heeft zijn haar naar achteren gekamd. Hij heeft een rood trainingspak van Adidas aan. De drie strepen lopen van onderen naar boven. Het ziet er vreselijk uit.

Janosch zegt dat het Florian niets uitmaakt hoe hij eruitziet. Het belangrijkste is dat hij er op de een of andere manier uitziet, vindt hij. Hoe, dat kan hem niet schelen. Hij trekt gewoon iets aan, zoals iedereen iets aantrekt. Met dit verschil dat dat bij hem soms gruwelijke combinaties oplevert. Een keer is hij zelfs met twee verschillende sokken aan op school verschenen. Hij merkt dat soort dingen helemaal niet. Het kan hem allemaal niets schelen. En daardoor is het eigenlijk weer haast grappig, vindt Janosch.

Achter hen lopen de twee Felixen. Samen met mij zijn ze de enigen die een rugzak bij zich hebben. Bolle een rode, Felix een blauwe. Zo naast elkaar zien ze er grappig uit. Zwijgend lopen ze achter de anderen aan. Ze liggen meer dan vijf meter achter op Janosch en Florian. Maar dat maakt niet uit.

Ze lopen op hun gemak verder. Bolle heeft een blauwe wollen pullover aan en een bruine corduroy broek. Zijn ogen zijn vochtig. Op zijn hoofd heeft hij een rode Ferrari-pet. Felix is dol op Ferrari. Hij heeft een dikke catalogus waar alle modellen in staan. Die neemt hij 's nachts zelfs mee naar bed en ruikt eraan. Zijn grootste wens is om ooit zelf in een Ferrari te rijden. Met open dak en zo. Als het er ooit van komt, zal Felix vast en zeker gillen.

Dunne Felix heeft een groen sweatshirt met capuchon aan. Die hangt ver over zijn voorhoofd. Eronder schitteren zijn snelle donkere ogen. Aan zijn voeten heeft hij witte gympen. Nike. Dunne Felix is een gympenfanaat. Hij weet er veel van. Hij heeft er wel duizend in zijn kast staan. Later wil hij zelf gympen gaan ontwerpen. Als dat niet gek is, vindt Florian.

Achter hen loopt Troy. Hij valt onder het lopen bijna in slaap. Zijn kleine ronde oogjes worden zwaar. Troy heeft een zwarte regencape aan. Terwijl het eigenlijk niet regent. Troy heeft die cape van zijn broer gekregen. Die heeft niet lang meer te leven. Twee maanden nog misschien. Zeggen ze. Soms, als hij veel alcohol op heeft, praat Troy over hem. Zijn broer heet Nikolas of zoiets. Hij is precies een jaar ouder dan Troy. Troy is dol op hem. Echt helemaal dol op hem. Hij wil hem niet verliezen. Daarom heeft hij bij spannende dingen altijd die regencape aan. Om bij zijn broer te zijn. Om hem niet in de steek te laten. Janosch zegt dat dat dapper is. Ik denk dat hij daar gelijk in heeft. Achter hem, een beetje achterop, loop ik. Het gebruikelijke verhaal. Ik loop langzaam en moeizaam. Mijn linkervoet sloft. Ik zou hem het liefst afhakken. Ik heb weer eens een Pink Floyd-T-shirt aan. Deze keer van het album *The Division Bell*. Daarop staan twee grote stenen afgebeeld. Met ogen en monden. Het ziet eruit alsof ze met elkaar praten. Van een afstand zou je zelfs kunnen denken dat het er één is. Typisch Pink Floyd. Ik ben dol op Pink Floyd. Janosch zegt dat hun muziek *crazy* is. Maar juist daarom ben ik er dol op. 'We don't need no education', dat gaat gewoon door merg en been. Dat is gewoon zo. Aan mijn benen heb ik een blauwe spijkerbroek. Levi's. Die heb ik van mijn zus gekregen. Ze zegt dat je er goed vrouwen meer kunt inpalmen. Zij weet per slot van rekening waar ze het over heeft. Geen idee. Op de een of andere manier is het te gek om een lesbische zus te hebben. Ze heeft altijd knappe vriendinnen. Zij het dat die meestal ook lesbisch zijn. Janosch zegt dat dat cool is. Je moet ze gewoon tot het goede geslacht bekeren of zoiets. Janosch denkt dat alle lesbische vrouwen er stiekem van dromen om bekeerd te worden. Ik weet niet of dat klopt. In elk geval is zo'n bekering behoorlijk lastig. Ik heb dat weleens geprobeerd.

Ze heette Manuela of zo en was al bijna twintig. Ik was

pas veertien. En tot over mijn oren verliefd op haar. Ze was ongeveer 1,79 en had bruin haar tot op haar schouders. Haar ogen waren als de zee. Blauw en groot. Ik zal haar denk ik niet zo een twee drie vergeten. Een keer heeft ze me zelfs gezoend. In de kamer van mijn zus. Die was er even niet. We hadden tv gekeken. *Die slowly* of zoiets. En opeens boog ze zich naar me toe. Ik bestierf het haast. Jezus, wat kon die zoenen. Maar het is nooit iets geworden. Ze zei dat ik te eigenaardig was. Zoals altijd. Janosch zegt dat hij zich dat kan voorstellen. Hij vindt me ook eigenaardig. Zij het op een positieve manier. Gewoon *crazy*. Hij zegt dat ik de gekste figuur ben die hij ooit heeft ontmoet. Florian zegt dat ik me daarom vooral niks moet verbeelden. Dat zegt Janosch tegen iedereen. Maar toch kunnen we goed met elkaar overweg. We wonen per slot van rekening al vier maanden in dezelfde kamer.

9

Van verre zie ik de bushalte. Een eenvoudig bord met een bank ervoor. Pal aan de hoofdweg. *Bushalte Neuseelen* staat erop. De bank is van donkerbruin beukenhout. De regen van gisteren sijpelt door de spleten in de bank. Af en toe valt er een druppel op het asfalt. Op de hoek van de bank zit een al wat oudere heer. Hij is heel mager. Zijn witte strohaar zit in de war. Hij heeft een groene regenjas aan die tot op zijn voeten hangt. Er steken zwartglanzende lage schoenen onderuit. De regenjas wordt maar door één knoop bijeengehouden. Wanneer we dichterbij komen, kijkt de oude man op. Janosch is al vooruitgelopen. Florian, de twee Felixen en Troy komen achter hem aan. Ik volg. De anderen wachten bij het bord. Ze drukken hun neuzen tegen de dienstregeling.

'Komen jullie van het kasteel?' vraagt de oude man. Hij heeft een diepe, volle stem. De jongens draaien zich om. Bolle neemt als eerste het woord.

'Ja,' antwoordt hij. 'We hebben vrij.'

De oude man knijpt zijn ogen dicht. Ze glanzen licht. De oude man perst zijn lippen opeen.

'Jullie moeten een oude man niet om de tuin leiden,' zegt hij. 'Een oude man is misschien doof. Misschien blind. Misschien een mankepoot. Maar een oude man heeft de melodie des levens te vaak gezongen om hem nog om de tuin te leiden. Jullie hebben geen vrij. Heb ik gelijk of niet? Jullie zijn weggelopen.'

'Weggelopen?' vraagt Bolle. 'Ach ja, zoiets.'

'De melodie des levens?' vraagt Janosch. 'Wat is dat nou weer?'

'De onmiskenbare dingen van het menselijke bestaan,' antwoordt de oude man. 'Dat, wat je niet kunt verbergen: verdriet, blijdschap, wind.'

'Wat heeft de wind ermee te maken?' vraag ik.

'De wind, die verdriet en blijdschap af en toe vermengt,' antwoordt de oude man. 'Die als dat nodig is alles uit elkaar haalt. Of bijeenbrengt. Hoe je het wilt noemen.'

'Bent u een wijze of een ziener of zo?' vraagt dunne Felix.

De oude man lacht. Zijn lach klinkt als een naderende stoomwals. Hij baant zich met geweld een weg. De jongens kijken steels om zich heen. Ik ga zitten.

'Ik ben geen ziener,' antwoordt de oude man. 'En voorzover ik weet, ben ik ook niet wijs. Ik ben gewoon een oude man. En ik heb het leven gezien. Dat is genoeg om ook een duit in het zakje te doen.'

'Worden wij ook ooit zo?' vraagt Bolle.

'Hoe?' wil de oude man weten.

'Nou ja. Zo... gewoon... oud.'

'Oud word je zeker, beste jonge. Zo is het leven. Alles aan je wordt oud. Je hart, je ziel, je opvattingen. Ook al verander je zelf misschien niet zo snel, je opvattingen doen dat zeker. Net als je dromen. Op een gegeven moment zijn ze oud. Net als jij!'

'Maar als ze oud zijn, deugen ze dan nog?' vraagt Bolle. 'Waarom moeten dromen oud worden?'

'Om leven na te laten,' antwoordt de man.

'Om leven na te laten?' herhaalt Bolle. 'Dat begrijp ik niet. Moet je dan iets ouds nalaten om iets nieuws te krijgen?'

'Ik vermoed van wel,' antwoordt de oude man. 'Zo blijft alles in beweging.'

'Kan het dan nooit eens gewoon stilstaan?' vraagt Bolle.

'Waarom blijven we eigenlijk steeds maar doorlopen? We

kunnen toch net zo goed blijven staan. Op adem komen. Datgene wat we hebben bereikt op ons gemak bekijken.'

'Nee, dat kunnen we niet,' antwoordt de oude man.

'Waarom niet?' vraagt dikke Felix.

'Omdat dan alles moet blijven staan,' antwoordt de oude man. 'Om datgene wat is bereikt op je gemak te kunnen bekijken, moeten zowel wij als het bereikte zelf stil blijven staan. En als wij stilstaan, kan er nooit meer iets nieuws worden bereikt. Dat betekent eeuwige stilstand. En zeg eens eerlijk, beste jongen, wat heb je liever? Eeuwig stilstaan of eeuwig doorlopen?'

'U hebt net de melodie van het leven gezongen, nietwaar?' vraagt Bolle. 'Zingt iedereen die als hij eenmaal oud is?'

'Dat hangt ervan af,' zegt de oude man. 'Of je oud wordt of niet, dat bepaalt het toeval. En of je de melodie des levens zingt of niet, bepaalt Onze Lieve Heer. Zo simpel is dat.'

'Dat noemt u simpel?' vraagt dikke Felix. 'Het is allemaal veel te ingewikkeld. Ik denk dat ik niet oud wil worden en evenmin de melodie van het leven wil zingen. Eigenlijk is het veel eenvoudiger in een wereld te leven die je niet begrijpt. Ik wil niet oud worden. Oud worden is me te *crazy*. Ik blijf liever mezelf. Felix Braun. Zestien jaar. Een meter vierenzestig. Basta.'

'Dat is allemaal een kwestie van toeval,' antwoordt de oude man.

'Dat is geen toeval,' werpt Janosch tegen. 'Toeval bestaat niet. Alleen het noodlot bestaat.'

'Is het dan het noodlot dat wij elkaar hier ontmoeten?' vraagt de oude man.

'Misschien,' antwoordt Janosch. Misschien is het ook gewoon pech. Ik ben zestien. Het leven gaat door. Het gaat altijd door. Ik wil niet dat mensen die verder zijn dan ik me gaan uitleggen hoe ik moet lopen. Ik heb de afgelopen zestien jaar zonder u moeten lopen en ik zal, als God het wil, waarschijnlijk ook de volgende vijfenzestig jaar zonder u moeten lopen. Dus laat u me gewoon met rust. Fijn dat u de melodie des levens zingt! Gaat u er maar mee naar het bejaardenhuis en leert u haar aan de mensen daar. Die zullen blij zijn. Maar laat mij leven. En laat uzelf ook leven. Het is allemaal al erg genoeg. Wij zijn net uit het internaat weggelopen. En ik denk dat wij ons jonge leven nog nodig hebben. Gaat u maar ergens anders naartoe met uw klotemelodie!' Janosch' ogen vernauwen zich. Hij is kwaad.

'Is jullie vriend altijd zo bot?' vraagt de oude man.

'Allicht, hij heeft het woord "bot" uitgevonden,' antwoordt Bolle.

'Toen ik zelf nog daarboven op Neuseelen zat, hadden we er ook zo een. Onze leider. Die was ook zo bot. Xaver Mils heette hij. Ik weet niet wat er van hem terechtgekomen is. Volgens mij was hij beeldhouwer of zoiets. Een hele poos. In München. Ik heb al vijftig jaar niks van hem gehoord. Misschien leeft hij helemaal niet meer. Volgens mij zou ik weleens de enige kunnen zijn die nog over is. Maar zo is het leven. Zeiden jullie dat jullie weggelopen waren? Waar willen jullie dan slapen? Als jullie op weg zijn naar München, dan zie ik het somber voor jullie in. Daar vinden jullie vast niet zo gauw iets. En op een bank in het park slapen kan ik jullie niet aanraden. München is gevaarlijk. Vooral 's nachts. Er zwerven rare types rond, kan ik jullie zeggen. Misschien is het het beste als jullie bij mij blijven. Ik heb een kleine woning in München-Schwabing. Niet groot, maar voor jullie groot genoeg. Dan overkomt jullie tenminste niks. Daar kunnen jullie zeker van zijn. Ik woon daar al vijfentwintig jaar. Alleen. En er is me nog nooit iets overkomen. Op het kerkhof van Neuseelen, waar mijn vrouw ligt, is het nog gevaarlijker. Als ik me goed herinner, heb ik zelfs nog een paar dekens.'

Bolle, Florian en dunne Felix draaien zich om. Ze beraadslagen. Janosch trekt een kwaad gezicht. Hij komt naast me op de bank zitten.

'Ik moet die ouwe niet,' fluistert hij. 'Hij is raar. Ergens klopt er iets niet aan hem. Ik ga liever niet met hem naar huis. Hij is toch gek?'

'Hoe kun jij dat nou weten,' antwoord ik. 'Misschien is hij gewoon een belangstellende oude man. Die het beste met ons voorheeft. Je hebt toch gehoord dat hij zelf op Neuseelen heeft gezeten. Waarschijnlijk heeft hij het gewoon goed met ons voor. Misschien weet hij wat voor problemen we hebben en is hij toch een ziener of zo.'

'Hij is een malloot,' antwoordt Janosch. 'En mijn moeder heeft me geleerd dat je naar malloten niet moet luisteren. Die moet je uit de weg gaan.'

'Dan zouden veel mensen jóú ook uit de weg moeten gaan,' antwoord ik. 'We zijn toch allemaal malloten. Hij is gewoon oud.'

'Precies,' antwoordt Janosch. 'Dat is het. Hij is oud en wij zijn jong. Dat gaat niet samen. Dat is nog nooit samengegaan. Oude mensen staan heel anders tegenover het leven. Ze moeten ons niet. En wij moeten hen niet. Er is op de hele wereld geen jongere te vinden die nu met die oude man naar München zou gaan. Wat heeft hij hier eigenlijk te zoeken? Hij woont toch in München?'

'Waarschijnlijk is hij bij het graf van zijn vrouw geweest,' antwoord ik. 'Hij heeft een hele goede reden om hier te zijn.'

'Ik vertrouw het zaakje niet,' zegt Janosch.

'Misschien werkt hij gewoon voor het internaat. En dan verklikt hij ons of zo.'

'Hij verklikt ons niet,' antwoord ik. 'Laten we met hem meegaan. Flo en de anderen vinden dat ook. Nietwaar jongens?'

'We gaan met de oude man mee,' zegt dikke Felix. 'Die is okay. En het is in elk geval beter dan op een bank in het park slapen. Bij hem zijn we in goede handen, denk ik. Doe je mee, Janosch?' Janosch' blik wordt duister. Zijn ogen schieten vuur. 'Kan een van jullie me misschien vertellen waarom uitgerekend wíj al die achterlijke dingen altijd het eerst moeten uithalen?' wil hij weten.

'Omdat we leven,' antwoordt Florian. 'En omdat we jong zijn.'

'Dat is geen argument,' werpt Janosch tegen.

'Natuurlijk is dat een argument,' zegt Florian. 'Wij bestaan gewoon. En zolang we bestaan, kunnen we al die achterlijke dingen het eerst uithalen.'

'Klopt dat, Lebert?' vraagt Janosch.

'Ik denk dat het wel klopt,' antwoord ik.

Dikke Felix loopt op de oudere man af. 'We gaan met u mee,' zegt hij. 'De bus zal over een minuut of vijf wel komen.'

Janosch kijkt naar de lucht. Het is inmiddels vrij donker geworden. De hoofdweg ligt duister en verlaten voor ons. Ik ben een beetje bang. Maar het is allemaal wel ontzettend spannend. Zoiets heb ik nog nooit gedaan. Die zin kan ik langzamerhand geloof ik wel aan het einde van elke dag op Neuseelen uitspreken. Op de een of andere manier is alles spannend. Is alles nieuw. En dat terwijl ik hier inmiddels alweer zo'n vier maanden ben. Wat gaat de tijd toch snel.

'Ik weet dat ik niets weet,' verkondigt Janosch. 'Dat heeft de een of andere filosoof toch ooit gezegd, of niet?'

'Geen idee,' antwoord ik. 'Moet je zoiets weten?'

'Wat moet je weten?' vraagt Janosch. 'Dat je niets weet?'

'Nee,' zeg ik. 'Wie dat heeft gezegd.'

'O,' antwoordt Janosch. 'Ja, ik denk dat je zoiets moet weten.'

'En wie heeft dat dan gezegd?' vraag ik.

'Geen idee,' antwoordt Janosch. 'Maar eigenlijk doet het er ook niet toe. Filosofen zijn allemaal sukkels. Ze denken dat ze alles moeten uitleggen. Terwijl er helemaal niks uit te leggen valt. Het enige dat ze moeten doen is rondkijken in de wereld. Dan komen ze er wel achter dat die verrekte mooi is. Hun uitspraken zijn onzinnig geklets.'

'Waarschijnlijk heb je gelijk, Janosch,' antwoord ik.

'Hoewel... de uitspraak "Ik weet dat ik niets weet" komt mij eigenlijk altijd best goed van pas. Bij wiskunde bijvoorbeeld.'

'Maar voor wiskunde is die uitspraak doorgaans niet bedoeld,' antwoordt Janosch.

'Waarvoor dan?' vraag ik.

'Nou, voor ons,' antwoordt Janosch.

'Voor ons?' vraag ik.

'Ja, voor ons! Om uit te leggen dat je eigenlijk niets hoeft te weten om *crazy* te zijn.'

'Die uitspraak heeft toch niks te maken met *crazy*,' zeg ik.

'Jawel,' antwoordt Janosch. 'Die uitspraak ís *crazy*.'

'Ik begrijp die uitspraak niet,' zeg ik. 'Misschien is hij gewoon te *crazy*. Het belangrijkste is dat alles zijn gang gaat. En dat wij allemaal onze weg vinden.'

'De weg naar München?' vraagt Janosch.

'Overal naartoe,' antwoord ik. 'Wil jij niet overal naartoe?'

'Volgens mij is elke plaats waar we ons bevinden *overal naartoe*,' verkondigt Janosch. 'Je moet je verstand gewoon nooit laten opsluiten, dan leef je altijd *overal naartoe*.'

In de verte zijn een paar koplampen te zien. Ze naderen snel over de hoofdweg. Breed en krachtig tasten de vierkante lichtvlakken het wegdek af. De dieselmotor begint jankend te loeien wanneer de lijnbus tot stilstand komt voor het bordje. Hij is minstens twaalf meter lang. Aan de zijkant zijn rechthoekige reclameborden bevestigd. Mineraalwater maakt er reclame voor zijn verleidelijke eigenschappen. De deuren gaan automatisch open. De glazen deur schuift voor de reclameborden, zodat het rood-blauwe wapenschild van het verleidelijke mineraalwater door het donkerbruine plexiglas heen schemert. We gaan de bus in. Eerst Florian, de twee Felixen, Troy en Janosch. De oude man en ik zijn de hekkensluiters. Op de drie treden bij de ingang van de bus blijft de oude man staan. Hij draait zich met fonkelende ogen naar mij om. Hij steekt zijn hand naar me uit. Ik pak hem beet. Zijn lange, onverzorgde nagels boren zich in de rug van mijn hand. Ik laat zijn hand maar wat graag weer los.

'Ik heb me nog helemaal niet voorgesteld,' zegt hij. 'Wat onbeleefd van mij. Mijn naam is Sambraus. Marek Sambraus. Een ingewikkelde naam, dat weet ik. Maar een die je niet zo gauw vergeet!'

Sambraus draait zich weer om naar de buschauffeur.

'Twee keer Rosenheim, alstublieft!' zegt hij.

De buschauffeur diept twee rode kaartjes op uit een la naast het stuur en geeft ze aan Sambraus. Die stempelt ze af in een blauwe stempelautomaat. Als hij de kaartjes erin steekt, klinkt er een belletje. Hij stopt het ene kaartje in zijn broekzak, het andere geeft hij aan mij. Er is in blauwe, cursief gedrukte letters *halte Neuseelen* op gestempeld. En de tijd. Het is inmiddels kwart over zeven.

10

De anderen wachten in het gangpad. We zijn bijna de enige
passagiers. Er zitten maar twee andere mensen in de bus. Een
verliefd stel. Ze drukken heimelijk hun gezicht tegen het raam.
Florian en dikke Felix draaien zich steeds weer naar hen om.
Zij tweeën zitten precies drie rijen voor het paartje. Zodat ze
het vooral goed kunnen zien. Ze zouden eens wat kunnen
missen. Door het raam stroomt de nacht naar binnen. Met
moeite kun je wat omtrekken herkennen. De weg. De akkers.
Een paar heuvels. Het typisch Beierse landschap. Troy en dunne Felix gaan naast elkaar op de eerste rij zitten. Troy wil graag
bij het raam. Hij kijkt graag het donker in. Dunne Felix diept
een walkman op uit zijn rugzak. Het is per slot van rekening
een halfuur rijden. Misschien nog wel langer. Afhankelijk van
het verkeer en de weersomstandigheden. Maar ik denk dat we
vanavond geen al te vreselijke dingen hoeven te verwachten.
Sambraus gaat alleen zitten. Precies in het midden. Op de
plaats aan het gangpad. Het raam trekt hem zeker niet zo. Hij
valt trouwens toch meteen in slaap. Zijn gerimpelde oogleden zakken over zijn groene ogen. Zijn hoofd valt op zijn
borst. Sambraus slaapt. Hij ademt diep in en uit.

Janosch en ik gaan achterin zitten. Op de achterste rij, pal
naast het verliefde stel. Ik mag bij het raam. Daar ben ik blij
om. Dan kan ik een beetje nadenken. Tot rust komen. Langs
de zwarte hemel vliegen vogels. Die hebben vast nog een lange weg te gaan. Hij is beslist langer dan de onze. Hoewel ook
onze weg niet zo simpel is. Janosch haalt een vel papier en
een stift uit zijn broekzak.

Ik kijk weer uit het raam. We rijden net langs een paar akkers. De witte strepen op de weg schieten onder ons door. Aan de horizon zie je de Alpen. Een stuk bos verstoort dat uitzicht. Enorme dennen verheffen zich in het donker. Erboven zweeft de sikkelvormige maan. Hij werpt een klein beetje licht op de akkers. In de verte kringelt een beetje rook omhoog. Ik moet aan mijn grootouders denken. Ze zijn er voor mij, al een eeuwigheid. Vooral mijn grootvader. Hij is zo'n opa die je graag als vader had gehad. Een oude, bescheiden man die zijn onafgebroken strijd met het leven voert. Moedig en dapper. Mijn moeder denkt dat hij het niet lang meer zal maken. Dat hij het op een gegeven moment moet opgeven. Kanker is nu eenmaal geen kleinigheid, zegt ze.

Mijn moeder houdt van mijn grootvader. Soms vraag ik me af of ze niet meer van hem houdt dan van zijn zoon. Haar man. Mijn vader. Maar dat kan ik begrijpen. Mijn grootvader is echt een fantastische man. Ik zou hem niet graag verliezen. Telkens wanneer ik problemen had, ging ik naar hem toe. Dan maakte hij samen met mij een groot vuur. In de open haard. Het was ons vuur. Vaak zaten we daar drie uur voor te praten over de tijd. Gewoon. Hoe alles voorbijgaat. Mijn grootvader is veel wijzer dan ik. Veel van wat hij heeft gezegd, kan ik niet eens behoorlijk reproduceren. Maar ik weet dat ik het zo lang in mijn hart kan opslaan totdat ik het begrijp. Mijn grootouders wonen in een oud landhuis buiten de stad. Het is een prachtig huis. Ik ben er duizenden keren geweest. En duizenden keren heb ik mijn grootvader gezien. Dat zal in de toekomst wel niet meer zo vaak kunnen. De laatste tijd ligt er weinig hout voor de open haard.

'Jij hebt toch een acht voor Duits, of niet?' vraagt Janosch en kijkt me met smekende ogen aan.

'Nee, ik heb een vijf,' antwoord ik. 'Dat weet je toch. Ik kan geen opstellen schrijven.'

'Weet je dan misschien toch hoe je tegen een meisje moet zeggen dat je van haar houdt?'

'Tegen een meisje?' vraag ik. 'Wat ben je eigenlijk aan het doen?'

'Nou ja, ik probeer een liefdesbrief te schrijven of zoiets.'

Ik lach.

'Aan Malen?' vraag ik.

'Ja, aan Malen,' antwoordt hij. 'Maar op de een of andere manier is dat allemaal niet zo eenvoudig, weet je. Ik ben nu eenmaal niet romantisch aangelegd. En ik maak in een dictee altijd al twintig fouten.'

'Heb je er weleens over nagedacht of je daarom misschien een drie hebt voor Duits?' vraag ik.

'Uitgesloten heb ik die mogelijkheid niet,' antwoordt Janosch. 'Maar dat doet er nu niet toe. Ik moet Malen een liefdesbrief schrijven. Het is allemaal zo ingewikkeld geworden. Vroeger hoefde je een meisje alleen maar te naaien. Dan had je haar. Tegenwoordig moet je je klotegedachten op papier zetten om indruk te maken. Maar ik kan mijn klotegedachten niet op papier zetten. Ik ben nu eenmaal geen Kafka.'

'Kalm nou maar,' antwoord ik. 'Je hoeft helemaal geen Kafka te zijn. Schrijf maar gewoon hoe je je voelt.'

'Moet ik soms opschrijven dat ik me klote voel?'

'Niet wat je nu voelt! Maar wat je voor Malen voelt.'

'En wat voel ik dan?' vraagt Janosch. 'Dat ik haar wil naaien?'

'Nee,' werp ik tegen. 'Dat je van haar houdt. Schrijf toch gewoon dat je van haar houdt.'

'Dan kan ik niet,' zegt Janosch. 'Ze zou me een draai om mijn oren geven.'

'Maar dat zou ze dan toch ook doen als je als Kafka "Ik hou van je" tegen haar zou zeggen?'

'Nee, dat zou ze niet. Kafka is *crazy*. Bovendien vallen meisjes op schrijvers.'

'Meisjes vallen op Leonardo DiCaprio,' antwoord ik.

'Daar heb je wel gelijk in,' zegt Janosch. 'Moet ik "Ik hou van je" zeggen als Leonardi DiCaprio?'

'Je moet "Ik hou van je" zeggen als Janosch Schwarze,' antwoord ik.

'Dacht ik het niet,' zegt Janosch. 'Zie je nou wel! Het schrijven van een liefdesbrief is helemaal geen probleem! Meisjes zeiken er een hoop over. Bij jongens ligt dat anders. Die zijn *crazy*. Die hebben daar geen problemen mee. Bij hen glijdt de pen als vanzelf over het papier. Dus, wat moet ik schrijven?'

'Je schrijft "Malen, ik hou van je!",' stel ik voor.

'"Malen, ik hou van je"? Okay.'

Janosch schrijft het met rode viltstift op het papier. Hij heeft een net en regelmatig handschrift. Je kunt elke letter herkennen.

'En verder?' vraagt hij.

'Wat bevalt je het meest aan haar?' vraag ik. 'Probeer haar beste eigenschap de hemel in te prijzen. Daar vallen meiden op.'

'Hoe moet je dat doen?' vraagt Janosch.

'Met je hart,' antwoord ik.

'Met mijn hart?' vraagt Janosch. Hij denkt na. Zijn wenkbrauwen trekken samen. Ze raken elkaar haast.

'Ik geloof dat ik haar toch liever naai,' zegt hij tenslotte. 'Dat is makkelijker. Liefdesbrieven zijn toch alleen iets voor sukkels. Wat mijn hersens niet kunnen, kan mijn pik misschien. Jij zou dat toch moeten weten! Hoe gaat het eigenlijk met die Marie van jou?'

Ik leun achterover.

'Best goed eigenlijk,' zeg ik. 'Ze gaat me weliswaar nog steeds uit de weg. Maar verder geloof ik dat het heel goed met haar gaat.'

'Rare meid,' antwoordt Janosch. 'Eerst laat ze zich door je naaien en dan gaat ze je uit de weg. Dat begrijp ik niet.'

'Tja, ik ook niet,' zeg ik. 'Maar zo is het blijkbaar.'

'Klopt,' luidt het antwoord van Janosch. 'Eigenlijk zijn alle meisjes zo. Meisjes zijn nu eenmaal eigenaardig.'

'Eigenaardig en lekker,' antwoord ik.

'Misschien zijn ze wel zo lekker omdat ze zo eigenaardig zijn,' zegt Janosch.

'Ja,' antwoord ik. 'Of ze zijn zo eigenaardig omdat ze zo lekker zijn.' We lachen. Janosch duwt mijn hoofd tegen het raam.

'Waarom heeft God eigenlijk meisjes geschapen?' vraagt Janosch. 'Waarom zijn ze zo lekker? Hij had ze toch net zo goed op de wereld kunnen zetten als lelijke beesten.'

'Maar dat is het nou juist,' zeg ik. 'Zolang ze lekker zijn, wil iedereen ze neuken. En zolang ze door iedereen worden geneukt, blijft de mensheid in stand. Ja, God is best cool.'

'God is *crazy*,' werpt Janosch tegen. 'God is een ouwe snoeper. Die wist wat hij wilde.'

'God weet altijd wat hij wil,' antwoord ik.

'En wat wil hij op dit moment?' vraagt Janosch.

'Hij wil dat we veilig in München aankomen,' zeg ik. 'Dat we leven. En leven we?'

'Natuurlijk leven we,' antwoordt Janosch. 'We leven. We zullen blijven leven. We leven tot er helemaal niks meer te leven valt.'

'Weet je dat zeker?' vraag ik.

'Ja, hoor es,' zegt Janosch. 'Dat zei je toch zelf. God wil dat

we leven. En dat doen we ook. Of we het dan goed of verkeerd hebben gedaan, dat moet hij uiteindelijk maar zelf uitmaken. Als we voor hem komen te staan.'

'Komen we dat dan?'

'Op een gegeven moment zeker,' antwoordt Janosch. 'En
ik denk dat ik dan zijn handtekening vraag.'

'Wil je God z'n handtekening vragen?' vraag ik.

'Ja natuurlijk, daar krijg je anders toch niet zo vaak de kans
toe.'

'Jij bent gek,' zeg ik. 'Denk je nou echt dat God jou een
handtekening geeft?'

'God geeft iedereen een handtekening,' werpt Janosch tegen. 'Hij heeft tijd zat. Bovendien geloof ik niet dat hij ster-
allures heeft.'

'Hoe kun jíj dat nou weten,' antwoord ik. 'God is toch de
ster der sterren. Denk je niet dat het onbeschoft is om hem
meteen zijn handtekening te vragen?'

'Nee, God zal zeker gevleid zijn. Zo vaak komen er immers geen handtekeningenjagers bij hem langs.'

'Jij bent knetter,' antwoord ik.

11

Ik kijk weer uit het raam. Het wordt langzaam lichter. Het felle licht van Rosenheim dringt onze bus binnen. We zijn er bijna. Over de weg waait een harde wind. Hij blaast bladeren en takken over het wegdek. Vrachtwagens en personenauto's remmen vaak af. Er moet ergens een popconcert zijn. Er cirkelen rode laserstralen boven de smerige stad. In het midden komen ze samen. Ze staan even stil. Dan draaien ze verder. Schuiven langs elkaar heen. Juist nu moet ik aan wiskunde denken. Aan Falkenstein. Mijn leraar. Hij zegt dat hij de toekomst somber voor me inziet. Ik kan het wel vergeten, vindt hij. Bijlessen zijn overbodig. Ik ben gewoon te stom. Misschien heeft hij gelijk. De laatste tijd geeft hij me vaak een beurt. Omdat hij weet dat ik er niks van bak. Dat geeft hem op de een of andere manier voldoening. Het is een heuse psychologische oorlog geworden. Maar ja, eigenlijk is de hele school zo. Dat ligt niet aan het internaat. School *op zich* is puur psychologische oorlogvoering. Dan moet je het wel zwaar hebben. Voor iemand van zestien is dat nogal hard. Je bent nog vrij jong en toch word je er al zo ingeluisd. Door zo'n figuur die zich leraar noemt. Vooral in Beieren is het erg. Daar tellen alleen van die kleine voorgeprogrammeerde computerkindjes mee, die van 's ochtends vroeg tot 's avonds laat voor school bezig zijn. Die worden gesteund. De rest laten ze stikken. 'Kennis is geen wijsheid' gaat voor hen niet op. Het zijn gewoon allemaal net zulke rukkers als Falkenstein. Bij een doodgewone mondelinge overhoring zegt hij dat we onze boeken dicht moeten doen. Met priemende blik zoekt hij een slachtoffer. Op dat moment heb ik er eigenlijk al genoeg van. Hij dreigt nu iemand vragen te gaan stellen. Voor de klas. Ten overstaan van iedereen. Wee degene die dat niet kan. Langzaam staat hij op van zijn leraarsstoel. Het zweet druipt van mijn voorhoofd. Ik wil niet overhoord worden. Waarom zegt hij niet gewoon meteen wie een beurt krijgt? Of waarom noteert hij voor mij niet meteen een vier? Dat zou simpeler zijn. Waarom moet hij me zo treiteren? Ik haat het als ik op het bord moet rekenen. Ik ga altijd af. Ik tril. Ben zenuwachtig. Falkensteins vingers trippelen over de tafel van Franz. Franz is minstens even zenuwachtig als ik. Wiskunde is op zichzelf al moeilijk genoeg. En Falkenstein kent altijd van die heel gemene sommen.

'En Franzi?' vraagt hij. 'Heb je je goed geprepareerd?'

Franzi leunt achterover. Strekt zijn armen uit.

'Jawel,' fluistert hij. 'Jawel', dat is goed. Als hij 'nee' had gezegd had hij waarschijnlijk een beurt gekregen. Als hij 'ja' had gezegd waarschijnlijk ook. Door dat 'jawel' is hij nog een keer aan het gevaar ontsnapt. Falkenstein loopt verder. Hij speelt met het etui van Melanie. Elke leerling probeert hier de druk van een beurt op een ander af te schuiven. Als de naam van de pechvogel dan eindelijk is gevallen, zijn de anderen meestal tamelijk opgewekt. Er gaat een zucht van verlichting door de klas. Maar voor de pechvogel is het dan dubbel zo moeilijk. Het maakt allemaal deel uit van de opzet, zou ik zo zeggen. Falkenstein kijkt op. Ik tril. Weet helemaal niks meer. De paar stukjes lesstof die ik had opgeslagen, worden het slachtoffer van mijn opwinding. Ik doe het al haast in mijn broek. Mijn maag zwelt op. Het kippenvel schiet over mijn lichaam. Ik krijg de beurt. Het kan niet anders. Falkenstein zegt met een diepe, krachtige stem: 'Lebert, laat jij ons nou eens zien waar ik al die tijd voor heb staan praten!'

Zo zegt hij dat altijd. Ik haat de manier waarop hij het zegt. De manier waarop hij Lebert zegt. Alsof hij me wil dood-schieten. Alsof hij me naar de galg brengt. En dat doet hij ook. Als in trance sta ik op. Zweet. Ben leeg. Ik denk hele-maal nergens meer aan. Alleen aan het krijtje dat hij me zo meteen in de hand drukt. De andere leerlingen halen hoor-baar opgelucht adem. Ik slik. Speel met het krijtje. Het voelt ruw aan. Droog. Ik laat het over mijn handpalm rollen. Het geeft af. Mijn vingers zijn al helemaal wit. Ik kijk naar het bord. Ik hou niet van dat bord. Alles wat daar opgeschreven wordt, moet je onthouden. Voor eeuwig. Je mag het niet ver-geten. En alles wat je tijdens een beurt op het bord schrijft, moet daar al een keer eerder hebben gestaan. Falkenstein geeft een paar dingen op. Ik schrijf ze op. Luister naar het schurende geluid van het krijtje. Nu moet ik het vraagstuk oplossen. Waarom sta ik hier eigenlijk? Ik weet het niet. Te-ken een symbool. Twee. Een cirkel. Falkenstein is niet tevre-den. Hij laat me weer naar mijn plaats teruggaan. Als ik langs de andere leerlingen loop, kijken ze met een verwrongen ge-zicht naar me op. Een enkeling lacht. Ik kijk naar mijn te-kening op het bord. Het ziet er verschrikkelijk uit. Als het werk van een lagere-schoolkind. Ik schaam me. Helaas kan ik het niet beter. De fysiotherapeute waar ik altijd naartoe ga, zegt dat het door mijn handicap komt. Ik mis iets logisch of zoiets. Het is niet alleen een fysieke kwestie. Vandaar mijn drie voor wiskunde. Maar zo simpel kan het toch niet zijn. Ik bedoel, wiskunde, dat moet iedereen toch op de een of andere manier onder de knie kunnen krijgen. Ook een suk-kel als ik. Ik ben ontgoocheld. Ik haal een afgebroken pot-lood uit mijn etui. *Build your own future* staat erop. Laat me niet lachen. Bij mij staat zelfs de steiger nog niet. Maar goed. Ik ben zestien. Het leven ligt nog voor me. Zo zeg je dat toch, of niet? Na de les komt Falkenstein. 'Dat je overgaat kun je wel vergeten,' zegt hij. 'Als je het mij vraagt, mogen we blij zijn als het ministerie van Onderwijs voor jou geen -1 invoert als cijfer.'

Hij grijnst een grote, brede grijns. Zijn mondhoeken lopen bijna door tot aan zijn oren. Het liefst zou ik die grijns van zijn gezicht slaan. Om eens te zien wat het ministerie van Onderwijs nog allemaal voor me zou bedenken. Falkenstein vertrekt. Ik vertrek ook. Het is pauze.

Ja, je schooltijd is echt niet makkelijk volgens mij.

We rijden Rosenheim binnen. Het is er druk. Overal staan rijen auto's en mensen. Ik draai me om naar Janosch. De gedachten aan de overhoring verdwijnen bij de aanblik van zijn gezicht. Hij grijnst.

'Denk je dat ze al naar ons op zoek zijn?' vraag ik.

'Ik denk van wel,' antwoordt Janosch. 'Waarschijnlijk hebben ze net onze ouders ingelicht.'

'Denk je dat jouw ouders boos zijn?' vraag ik.

'Mijn ouders zijn altijd boos op me,' antwoordt Janosch. 'Maar ik denk dat het deze keer wel meevalt. Ik heb mijn vader al eens gezegd, dat als ik op een dag verdwenen ben, ik waarschijnlijk bij mijn vrienden ben.'

'En hoe reageerde hij toen?' vraag ik.

'Hij gaf me een draai om mijn oren,' antwoordt Janosch.

'Gaf hij je een draai om je oren?' vraag ik. 'En toch loop je weg? Dat had ik niet gedurfd.'

'Maar zoiets moet je durven,' legt Janosch uit. 'Anders bereik je helemaal niets meer in het leven. Hoe gaat dat gedicht ook alweer?

' "En zolang gij het niet kent, dat worden en vergaan, zult gij een droef figuur op aarde slaan." '

'Sinds wanneer ben jij geïnteresseerd in gedichten?' vraag ik. '

'Ben ik niet,' antwoordt Janosch. 'Mijn broer heeft me ooit verteld dat die passage erg geschikt is om meiden mee te versieren.'

'Heb jij een broer?' vraag ik. 'Hoe oud is die?'

'Twintig,' antwoordt Janosch. 'Hij woont in Amerika. Is geëmigreerd of zoiets. Ik mag hem in elk geval erg graag.'

'En heeft het wat opgeleverd?' vraag ik.

'Wat?' vraagt Janosch.

'Nou, dat met die dichtregel en meiden!'

'O dat, nee,' antwoordt Janosch. 'Het meisje aan wie ik die regel heb voorgedragen, zei dat ze niks aan gedichten vond. Dus bleef het helaas bij een milkshake.'

Ik kijk weer uit het raam. Het centraalstation, ons eindpunt, herken je al van verre. Wat zullen mijn ouders hier wel niet van zeggen? Mijn moeder is beslist in paniek geraakt. Misschien is ze zelfs naar Neuseelen gegaan. Om me te zoeken. Ze is altijd zo snel bang. Vooral als het om mij gaat. Ze wil me graag beschermen. Me nooit alleen laten. Ik ben daar te fijngevoelig voor, denkt ze. Als zij het voor het zeggen had, zou ik nooit op een kostschool zitten. Ze wil me liever thuis hebben. Waar me niks kan overkomen. Ik heb met haar te doen. Waarschijnlijk zit ze op dit moment in haar auto. Mijn vader weet vast van niks. Hoe zou hij het ook moeten weten? Hij woont immers in een hotel. En komt op verhaal. Bij iemand weggaan is altijd makkelijk, denk ik. Maar als iemand bij je weggaat op de een of andere manier niet. Ik moet eigenlijk kwaad op hem zijn. Mijn zus vertelde nog iets over een andere vrouw. Eentje van twintig. Met flinke tieten en lange benen. Als ik haar ooit tegenkom, sla ik haar hoogstpersoonlijk op haar bek. Daar ben ik niet fijngevoelig voor.

Je leest het toch ook voortdurend. In de roddelpers.

Geluk op je oude dag door jonge vrouw: hoe getrouwde mannen op leeftijd nog een beetje plezier beleven.

Meestal staat er dan een oude opa met zo'n tietenmonster bij afgebeeld. Maar dat kan toch niet. Dat komt toch niet echt voor. Alleen in die kutblaadjes. Maar toch niet bij mij. Bij ons. In ons gezin. Een gezin betekent toch meer dan een tietenmonster. Het moet op de een of andere manier meer betekenen. Ik wil mijn familie niet kwijtraken. Per slot van rekening maak ik er deel van uit. Wat ben ik zonder hen? Een stuk? Een ding? Moet ieder mens ooit zijn familie kwijtraken om mens te worden? Volgens mij maak ik me er te druk over. Ik moet zorgen dat ik zelf verder kom. Ik ben op het moment ergens in Rosenheim. De bus stopt. Door de schok word ik in mijn stoel geduwd. Ik sta op. Mijn linkerbeen doet pijn. Janosch ziet het aan mijn ogen. Ik mag op hem leunen. Samen klimmen we de bus uit. Sambraus, Florian en de anderen wachten op de stoep. Het is erg druk. Er denderen duizenden mensen langs. Hun ogen stralen van plezier. Met Florian, de twee Felixen, Troy en Sambraus is het niet anders gesteld. Hun gezichten trillen van opwinding.

'Daar gaat-ie dan,' verkondigt dikke Felix. 'Op naar de grote stad. De zes meest gesjeesde figuren van deze eeuw zijn er eindelijk klaar voor. Het is zover. Naar München.'

'Denk je dat ze de politie achter ons aan hebben gestuurd?' vraagt Janosch. Zijn ogen blijven koel. Er is niets dat zijn opwinding verraadt. Hij slaat zijn arm om me heen. Kijkt me aan. Bijna zo alsof hij weet waar ik net over heb nagedacht.

'Dat denk ik niet,' antwoordt Felix. 'Waarom zouden ze uitgerekend hier politie naartoe sturen? Ze zoeken ons in Neuseelen. We komen heus wel zonder problemen in onze trein. En dan zijn we uit de brand. Sambraus koopt zeven kaartjes. Daarginds bij het loket. Dat valt niet op. Wij wachten op het perron. Het is spoor 2, geloof ik. Goed, we zien elkaar daar dus. Over exact tien minuten. Mijdt contact met mensen in uniform. Je kunt nooit weten!'

Met die woorden stormen dikke Felix en de anderen het stationsgebouw binnen. De toegangsdeur suist achter hen dicht. Hij is van glas. De vier jongens rennen door de stationshal, gevolgd door Sambraus, die met vermoeide tred rechtstreeks naar het kaartjesloket loopt. Ik kijk naar Janosch. Hij bekijkt mijn linkerbeen.

'Zoals altijd?' vraagt hij.

'Zoals altijd,' bevestig ik.

'Je moet het niet opgeven, Benni!' zegt hij. 'Een mens mag het niet opgeven. Ze kunnen hem vernietigen, maar hij mag het niet opgeven.'

'Ook niet als het soms makkelijker is om het op te geven?' vraag ik.

'Ook dan niet,' bevestigt Janosch.

'Maar ik wil het opgeven,' zeg ik tegen hem. 'Het wordt me allemaal te onoverzichtelijk. Te veel. Ik weet ook niet waarom. Ik zie er de zin niet van in, Janosch. Ik moet de hele tijd aan mijn ouders denken. Aan de verloofde van mijn vader. Bovendien gilt mijn linkerbeen het uit van de pijn. Een gehandicapt been is niet geschikt voor de mafste reis van deze eeuw. Een gehandicapt been is alleen geschikt om te slapen. Om uit te rusten. Ik ben moe, Janosch. Moe.'

'Benjamin Lebert, je bent een held,' zegt Janosch met een diepe stem. Zijn ogen schitteren. Langzaam trekt hij me een pas vooruit.

'Een held?' vraag ik. 'Zijn mankepoten dan helden?'

'Mankepoten niet,' antwoordt Janosch. 'Maar jíj bent een held.'

'En waarom?' wil ik weten.

'Omdat via jou het leven spreekt,' zegt Janosch.

'Via mij?' vraag ik.

'Via jou,' bevestigt hij.

'Wat via mij spreekt is klote,' antwoord ik.

'Nee, opwindend,' zegt Janosch juichend. 'Het leven is opwindend. Steeds weer vind je iets nieuws.'

'Maar wil je dat ook?' vraag ik.

'Natuurlijk wil je dat,' gilt Janosch. 'Anders zou het immers saai zijn. Je moet steeds op zoek zijn naar – hoe zei Felix dat ook weer? – je rode draad. Precies, je rode draad. Je moet steeds op zoek blijven naar je rode draad. De jeugd is één groot zoeken naar de rode draad. Kom op Benni, laten we onze rode draad zoeken! Bij voorkeur in de trein naar München.'

En met die woorden sleurt hij me het stationsgebouw binnen.

12

Binnen wacht ons een grote hal. In het midden zijn loketten en informatiebalies. Erboven hangen grote blauwe letters. Om je te oriënteren. Uit de luidspreker klinkt een wanhopig: 'Nummer 27b, naar loket A alstublieft!'

Janosch en ik kijken lachend op. Ik vraag me af wie die arme 27b dan wel mag zijn. Aan de muren hangen een hoop reclameborden. Vooral reclame voor kranten. Ik zoek de krant van mijn oom. En vind hem. Helemaal rechts tegen het plafond. De stralende letters hangen daarboven te schitteren. In de verte zie je de perrons. Onze trein vertrekt van spoor 2. Hij is al aangekondigd:

IC 134 naar Karlsruhe. Stopt te München, Pasing, Stuttgart. Vertrektijd: 20 uur 45.

Ik kijk op mijn horloge. Het is 20 uur 32. We hebben de tijd. Janosch loopt naar een van de sigarenwinkels die aan de rand van de hal liggen. Het zijn eerder sigarenkiosken. Een kleine, bleke man kijkt door een openstaand raampje. Erboven hangt een neonreclame in de vorm van een sigaret met het opschrift *Monsieur de tabac*.

'Wat wil je?' vraag ik Janosch als hij naar het kleine raam loopt.

'Twee sigaren,' antwoordt hij.

'Twee sigaren?' herhaal ik. 'Waarvoor dat?'

'Om te roken,' zegt Janosch. 'Voor ons.'

'Voor ons?' vraag ik. 'Waarom?'

'Omdat we mannen zijn. En mannen roken nu eenmaal sigaren,' antwoordt hij. 'Heb je *Independence Day* dan nooit gezien?'

'Jawel,' antwoord ik. 'Maar die beschermen de aarde tegen buitenaardse wezens. Dat doen wij toch niet, of wel?'

'Nee, dat doen wij niet,' zegt Janosch. 'Maar wel iets vergelijkbaars.'

'En wat dan, als ik vragen mag?'

'We zijn afgetaaid uit het internaat,' antwoordt Janosch. 'Dat was voor ons minstens even moeilijk als de aarde beschermen tegen buitenaardse wezens. Je moet zoiets altijd in perspectief zien.'

'Denk je echt?' vraag ik.

'Zeker weten,' zegt Janosch. 'Bovendien hebben we een sigaar verdiend. Basta.'

Met die woorden loopt hij op de kleine bleke man achter het raam af.

'Jongens, kan een van jullie me misschien vertellen waarom ik me heb laten meetronen?' vraagt dikke Felix als we op het perron staan. Het is 20 uur 42. De trein kan elk moment komen.

'Omdat we vrienden zijn misschien,' oppert Janosch.

'Vrienden?' zegt dikke Felix met krassende stem. 'Okay, maar wat betekent dat eigenlijk, vriendschap?'

Janosch denkt na. 'Vriendschap is wat binnen in iemand zit, denk ik,' zegt hij uiteindelijk. 'Je ziet het niet en toch is het er.'

'Ja, en toch is het er,' bevestigt dunne Felix. 'Net als het daglicht bijvoorbeeld.'

'Het daglicht?' wil dikke Felix weten. 'Als de vriendschap als het daglicht is, wie is er dan in 's hemelsnaam de zon?'

'Nou, wij,' verduidelijkt dunne Felix. 'Wij zijn de zon.'

'Wij, een zon?' vraagt Janosch. 'En wat draait er dan om ons heen?'

'De vriendschap,' antwoordt dunne Felix. 'Dat geloof ik tenminste.'

'En wie straalt er dan licht uit?' vraagt Janosch. 'Straal ik soms licht uit?'

'We stralen allemaal licht uit,' legt dunne Felix uit. 'Binnen onze vriendschap stralen we allemaal licht uit.'

'Dat begrijp ik niet,' zegt Florian, die ze allemaal alleen met *meisje* aanspreken. 'Is er dan iemand die ons licht ziet?'

'Wij zien het,' antwoordt Bolle. 'En dat is genoeg.'

'En verder niemand?' vraagt Florian.

'Dat hangt ervan af hoe groot de vriendschap is,' zegt dunne Felix. 'Soms kunnen anderen het ook zien. Maar we moeten het eerst zelf zien. Want alleen wat wordt verlicht, kan ook worden gezien. En dat is het nou juist, vriendschap betekent namelijk zoveel als "verlichten".'

'Al dat gedoe over "verlichten" of "niet-verlichten" is toch onzin,' werpt Janosch tegen. 'Onze vriendschap is gewoon *crazy*. Zíj heeft ons hiernaartoe gebracht.'

'Alleen de vriendschap?' vraagt Florian.

'Nou ja, misschien ook de varkensrollade van Bolle,' antwoordt Janosch. 'Maar voor de rest was het onze vriendschap volgens mij. Iets moet het zijn geweest. Heeft er misschien iemand zin om bloedbroederschap te sluiten? Ik heb nog zo'n rare punaise in mijn broekzak. Daarmee zou het wel kunnen.'

'Ik weet niet,' antwoordt dikke Felix. 'We zijn hier eigenlijk niet bij Robin Hood. Bovendien hebben we wel genoeg gekke dingen gedaan voor een avond. Dat is voldoende.'

'Je kunt nooit genoeg gekke dingen doen,' antwoordt Janosch. 'Je moet het leven met volle teugen drinken.'

'Met volle teugen?' vraagt Florian, die ze allemaal alleen met *meisje* aanspreken. 'Is het leven dan een rivier?'

'Zoiets, denk ik,' antwoordt dunne Felix.

'Zijn jullie nou helemaal gestoord,' vraagt Janosch. 'Wij zijn een zon? Het leven is een rivier? En de vriendschap draait om ons heen? Langzaam aan is het genoeg, denk ik. Het leven is het leven. En een rivier is een rivier. En als ik niet beter wist, dan zou ik zeggen, vriendschap is ook maar vriendschap. Waarom proberen we altijd alles figuurlijk te verklaren? Waarom willen we eigenlijk altijd alles begrijpen? Wil Onze Lieve Heer eigenlijk wel dat we iets begrijpen? Ik denk dat Onze Lieve Heer vooral wil dat we leven.'

'Ben jij opeens gelovig?' vraagt dikke Felix aan Janosch.

'Ja, op de een of andere manier wel,' bevestigt hij. 'Dat heb ik aan Lebert te danken. Met zijn stomme geouwehoer over het leven. In elk geval geloof ik inmiddels eerder in God dan dat ik geloof dat het leven een rivier is. Het leven is een probeersel.'

'En wat proberen we?' vraagt Florian.

'We proberen alles te proberen,' antwoordt Janosch. 'Dat is het probeersel. En nu proberen we bloedbroeders te worden. Meisje, jij bent het eerst aan de beurt.'

Florian stapt naar voren. Uit zijn ogen spreekt twijfel. Hij steekt zijn vinger uit.

'Heeft iemand van jullie aids?' vraagt hij.

'Ja, ik natuurlijk,' reageert dikke Felix. 'Wist je dat nog niet?'

'Hou op met die flauwekul,' zegt Florian. 'Die punaise doet vast pijn!'

'Die doet helemaal geen pijn,' zegt Janosch. 'Bovendien ben je een man.' En terwijl hij dat zegt, ramt hij de punaise in zijn wijsvinger. Het bloed spuit eruit. Bij Florian doet hij daarna hetzelfde. Diens ogen vernauwen zich. Daarna wrijven ze hun wijsvingers over elkaar. Daarna gaat Janosch rond. Eerst prikt hij Troy met de punaise, dan Bolle en Felix. Daarna mij. Er schiet even een steek door mijn lichaam. Ik kan niet tegen bloed. Dan word ik misselijk. Ik wend mijn hoofd af terwijl Janosch onze vingers op elkaar drukt. Als we allemaal zover zijn, leggen we onze handen op elkaar. Bloedbroeders.

De trein arriveert met vijf minuten vertraging. Het eerste wat ik ervan waarneem is een schel fluitsignaal. Het komt vanuit de verte op ons af. Dan rijdt de trein het station van Rosenheim binnen. Het is een gewone rode intercity. Ik zie door het raam maar weinig mensen. De meesten staan bij de deuren. Ze willen in Rosenheim uitstappen. De trein komt sissend tot stilstand. Langzaam schuiven de deuren open. Er stappen veel toeristen het perron op.

Sambraus haalt de kaartjes uit zijn regenjas te voorschijn en geeft ze ons. We hebben geluk gehad. Het nummer van ons treinstel is 29. We staan bij nummer 22. Bolle, Troy, Florian en Felix lopen voorop. Sambraus, Janosch en ik erachteraan. Janosch steunt me. Ik ben op de een of andere manier moe. Zodra we aankomen bij nummer 29, trekt een in het zwart geklede conducteur ons de trein binnen. Het is een kleine man met een schitterende woeste bos wit haar. De deur gaat dicht. Langzaam begint de trein te rijden.

'Vrienden zeker?' zegt de conducteur als hij Janosch steunoperatie ziet.

'Ja, vrienden,' zegt Janosch en duwt me de coupé binnen. De andere vijf zitten er al. Troy heeft het zich gemakkelijk gemaakt, hij heeft nog steeds zijn regencape aan. Zijn ogen zijn dicht. Hij ademt diep in en uit. Misschien droomt hij van een betere wereld. Tegenover hem zit Sambraus. Uit zijn regenjas heeft hij een boek te voorschijn gehaald. Paul Auster *Leviathan*. Een pocket. Het hoofd van het vrijheidsbeeld staat erop afgebeeld. Voorzover ik kan zien, moet Sambraus ongeveer op de helft van het boek zijn. Ik ken het boek niet. Ook de schrijver ken ik niet. Alleen zijn naam ken ik. Paul Auster. Schijnt een van die zeldzame grote schrijvers te zijn. Maar daar zijn er intussen ook alweer duizenden van. Naast hem zit Florian. Hij kijkt uit het raam. De vermoeidheid is van zijn gezicht af te lezen. Hij is met zijn gedachten vast en zeker ver weg. Misschien bij zijn dode ouders. Of bij zijn oma. Nu kijkt hij naar de grond. Vermoeid strekt hij zijn armen uit. Rechts van hem zit dunne Felix. Zijn borstkas gaat op en neer. Hij knijpt zijn neus dicht. Steeds weer veegt hij met zijn linkerhand over zijn rechterwijsvinger. Hij probeert het bloed weg te wissen. Zijn vinger plakt al helemaal. Bovendien ziet het er niet zo smakelijk uit. Je zou kunnen denken dat hij een bloedneus heeft of zoiets. Helemaal aan de buitenkant zit Bolle. Hij heeft zijn dikke, brede kont in de stoel geperst. Hij is in de weer met zijn rugzak vol snoepgoed. Er komen winegums te voorschijn. Geel, rood en paars. Achter mekaar verdwijnen ze in alle kleuren in Bolles wangzakken. Daar worden ze tot brij verwerkt. Af en toe schiet de gretige tong te voorschijn uit Felix' mondhoeken. Hij is helemaal roze geworden van het snoepgoed. Janosch en ik gaan rechts van Troy zitten. Ik mag weer bij het raam. Daar ben ik blij om. Buiten is het pikdonker. Alleen de maan schijnt boven ons. Een enkele dennenboom steekt af tegen het duister. Verder is het een grote, verlaten vlakte. Je ziet haast niks.

De rails die eerst parallel aan de onze liepen, buigen naar links en maken daarmee een einde aan onze gezamenlijke rit naar München. Ik zak steeds dieper weg in mijn stoel. Het is een makkelijke stoel, ik denk dat je erin zou kunnen slapen. Boven elke zitplaats hangt een reproductie. Op de meeste staat een tafereel uit de geschiedenis van het spoor. De mijne is een reclame. Voor een cursus Engels. *Talk the words right out of your soul* of iets dergelijks. Ik kijk naar Janosch. Zijn ogen ontwijken me. Er gaat iets in hem om. Zijn handen glijden onrustig over de armleuningen. Hij heeft fijne handen. Je ziet er haast elke lijn op. Op de rug van zijn hand glanzen een paar blonde haren. Door het vale licht in de coupé steken ze duidelijk af tegen de hand. Janosch' vingers glijden over zijn zwarte polo. In zijn gezicht glinstert de vrijheid. Hij verheugt zich op München. Ik kijk weer uit het raam. Aan de horizon gloeien de rode lichtjes van een vliegtuig in het donker. Waar zou het zijn passagiers naartoe brengen? Dichterbij, langs de rails hebben vier jongeren een vuur gemaakt. Ze zitten gezellig op een heuveltje te roken. Met hoge snelheid razen we langs hen heen. Ik moet aan mijn oude school denken. Aan de mensen die ik daar heb ontmoet. Ze noemden me altijd Krompoot. Omdat ik zo vreemd liep. Mijn linkervoet die er altijd achteraan sleepte. Daar hielden ze niet van. Soms lichtten ze me pootje en lachten als ik op mijn bek viel. En soms wachtten ze me op voor de school. Om mijn boterhammen voor de pauze in ontvangst te nemen. Die had mijn moeder gesmeerd. Speciaal voor mij. Met extra veel kaas en worst. Ik had met mijn moeder te doen. Ik wilde die boterhammen niet weggeven. Dat wilde ik nooit. Maar ik moest. Die jongens waren sterker dan ik. Matthias Bochow was hun leider. Een bonk van een vent met forse schouders en bruin krullend haar. Hij was 1 meter 73, hooguit. Hij was al zeventien jaar op deze wereld, en alles wat hij rook, zag of voelde, stond hem niet aan. En alles wat hem niet aanstond, stond de anderen ook niet aan. Hij was de leider. De raddraaier. Zijn wil was wet. En die wet was hard. De overige vijf jongens waren gewoon meelopers: Peter Trimolt, 17, Michael Wiesbeck, 18, Stephan Genessius, 17, Claudio Bertram, 17 en Karim Derwert, 16. Zij knapten het vuile werk voor Matthias op. Alles wat hij wilde, werd omgezet in daden. Ze bezorgden hem meiden, hielpen hem door de derde klas en ruimden de sukkels voor hem uit de weg. Zoals ik – Krompoot. Een keer hebben ze me na school aan een boom vastgebonden. Aan een beuk. Met een stevig touw dat ze bij de conciërge hadden gejat. En zo mocht ik geduldig wachten, tot de vroege avond. Tot mijn moeder huilend het schoolplein op kwam rennen. Ze was helemaal overstuur. Ze hield me twee weken lang thuis. Dat was goed. Dan kon ik tenminste bijkomen. Een beetje lezen. Volgens mij leeft Matthias Bochow nog steeds. Soms zie ik hem met een lekker ding door een metrostation slenteren. Maar hij neemt geen notitie van me.

Ik pak mijn rugzak en haal een reep chocolade en mijn boek te voorschijn. Buiten zie ik een paar sterren. Het vliegtuig is verdwenen. Ik hou het boek met beide handen vast. Strijk eroverheen met mijn duim. De voorkant voelt glad en stevig aan. Ik strijk graag over boeken. Dat is zo'n rustgevend gevoel. Het gevoel dat er in deze wereld nog iets is dat je kunt vasthouden. Hoewel alles zo snel voorbijgaat. Ik heb dat gevoel vooral bij nieuwe boeken. En dit boek is nieuw. Ik heb het gekregen van mijn vader. Het is een pocket. Hij zegt dat dit het beste boek is dat ooit over het leven is geschreven. Ergens achterin steekt het kassabonnetje nog een stukje uit. 7,90. *Bedankt voor uw aankoop. Uw boekhandel Lehmkuhl.* Mijn vader heeft me het boek gegeven toen ik voor het laatst een weekend thuis was. Het ruikt nog vrij nieuw. Een lekkere geur. Op het rode titelblad staat een oude man afgebeeld. Hij slaat zijn arm om een kleine jongen heen. Aan de zijkant

loopt een grote balk met het opschrift *Nobelprijs* door de af-
beelding. Het boek moet bekroond zijn. Ik heb geen idee hoe
ik die prijs moet beoordelen. Maar daar is het me ook niet
om te doen. Aan de rechterkant staat in witte, dicht opeen
gedrukte letters:

De oude man en de zee
Ernest Hemingway

Een geweldige titel, vind ik. Dat smaakt meteen naar meer.
Dat wil je meteen lezen. En dat doe ik ook. Ik sla het boek
langzaam open. Ik hou het in mijn rechterhand. Mijn linker
zou me daarbij toch niet kunnen helpen. Mager en afstotend
vlijt hij zich in zijn spasme. Ik begin te lezen. Kijk nog even
op mijn horloge. Het is negen over negen. We moeten ongeveer zeventig minuten met de trein. We hebben de tijd. Ik
lees verder. De letters en zinnen stuiven op me af. Het is een
mooi boek. Elke uitdrukking, elke opmerking raakt me recht
in mijn hart. Al gauw heb ik tranen in mijn ogen. Zo gaat
dat bij mij altijd. Bij een goed boek moet ik nu eenmaal grienen. Ik heb bij *Schateiland* gegriend en ik nu ga ik bij *De oude man en de zee* grienen. Dat is blijkbaar mijn lot. Terwijl
het verhaal eigenlijk best simpel is. Het heeft amper vijftig
bladzijden. Het gaat over een oude visser die op zijn oude
dag gewoon geen vis meer vangt. Hij lijdt honger. Alle mensen lachen hem uit. Alleen een kleine jongen kiest partij voor
hem. Die voer vroeger altijd met hem uit om te vissen. Maar
nu mag hij niet meer. Zijn ouders vinden het niet goed. De
oude visser vangt te weinig. Dus moet hij alleen uitvaren. En
op een dag krijgt hij echt een grote vis aan de haak. Maar
voor hij hem op het droge kan krijgen, raakt hij de vangst
van zijn leven na een uitputtende strijd weer kwijt aan de
zee en de haaien. Het is echt een grandioos boek. Ik ben nog
niet op een kwart of ik barst al in tranen uit. Ontroerd druk

ik het boek aan mijn borst. Ik dank mijn vader dat hij dit boek voor me heeft gekocht. Ik dank Ernest Hemingway dat hij zo'n verhaal kan vertellen. Ik snuit mijn neus in een zakdoek. Janosch kijkt lachend naar me.

'Ja, zo is hij nu eenmaal, onze Lebert,' legt hij Sambraus uit. 'Een beetje gevoelig.'

'Wat was je eigenlijk aan het lezen?' vraagt Janosch dan.

'*De oude man en de zee*,' antwoord ik.

'*De oude man en de zee*?' vraagt Janosch en vouwt zijn handen. 'Dat schijnt nogal goed te zijn. Denk je dat je me er iets uit voor kunt lezen? Zomaar? Voor de grap? We moeten toch nog eindje. Bovendien wil ik een keer literatuur hebben gelezen.'

'Is dit literatuur?' vraag ik.

'Ik denk van wel,' antwoordt Janosch.

'Wat is eigenlijk literatuur?' vraag ik.

'Literatuur is als je een boek leest en bij iedere zin een streepje kunt zetten – gewoon omdat het klopt,' legt Janosch uit.

'Gewoon omdat het klopt?' herhaal ik. 'Dat begrijp ik niet.'

'Als iedere zin gewoon waar is, denk ik,' antwoordt Janosch. 'Als ze iets over de wereld zegt. Over het leven. Als je bij iedere alinea het gevoel hebt dat je precies zo zou hebben gehandeld of gedacht als die figuur in die roman. Dan is het literatuur.'

'Hoe weet je dat?' vraag ik.

'Dat denk ik gewoon,' antwoordt Janosch.

'Dat denk jij gewoon?' herhaal ik. 'Dan is het vast en zeker gezwam. Een professor in de literatuur zou me ongetwijfeld iets anders vertellen. Hoeveel boeken heb je eigenlijk al gelezen?'

'Twee misschien,' antwoordt Janosch.

'Twee misschien? En dan wil jij mij iets over literatuur vertellen?'

'Nou ja, je wilde toch iets horen,' werpt Janosch tegen. 'En bovendien denk ik dat het allemaal veel te ingewikkeld is. Zelfs de mensen die het zouden moeten begrijpen, begrijpen er geen bal van. Waarom zouden wíj ons er dan druk over maken? Laten we gewoon lezen. Omdat het leuk is om te lezen. En omdat het leuk is het te snappen. En laten we er niet over nadenken of iets literatuur is of niet. Laat dat maar aan anderen over. Als het inderdaad literatuur is, des te beter. Als het niet zo is dan doet het er ook geen moer toe.'

'Helemaal mee eens,' antwoord ik. En ik sla de pocket weer open. Uit de luidspreker klinkt een hol gefluit. Dan de stem van de conducteur. Die klinkt vervormd en wordt verscheidene keren onderbroken. Maar het belangrijkste begrijpen we. We komen met een vertraging van een halfuur in München aan. Janosch en de anderen zuchten. Ik concentreer me op mijn tekst. Ik lees hardop en duidelijk verstaanbaar voor. Ik maak amper fouten. Anders gaat lezen me niet zo goed af. Op school haper ik altijd. Ik heb er een hekel aan als we moeten voorlezen. Maar hier lukt het. Al gauw is Janosch niet meer de enige die luistert. Ook de anderen hebben hun oren gespitst. Ze staren me met grote ogen aan. Zelfs Sambraus heeft plezier in mijn lectuur. Het boek van Paul Auster glijdt tussen de armleuningen. Hij vouwt zijn handen op zijn buik. Ik heb geen idee hoe lang ik lees. Ik lees verrekte lang. Mijn mond is droog en leeg. De oude man verliest het gevecht met de oceaan. Komt met lege handen thuis. De jongens hebben rode wangen. Zelfs Janosch ademt luid. Hij schudt wild met zijn hoofd. Zijn ogen spatten bijna uit elkaar. Hij heeft donkerrood gloeiende oren. Met een gejaagde beweging pakt hij de roman van Hemingway.

Bolle en dunne Felix houden ontdaan elkaars hand vast. In hun ogen glinsteren tranen. Troy en Florian blijven cool. Zij geven blijkbaar niks om dit boek. Ze zien er niet bedroefd uit. Nu pakt ook dikke Felix de pocket. Snel bladert hij erin. Hij leest de belangrijkste passages nog een keer. Dan geeft hij hem me terug. Zijn gezicht straalt. Ik kijk op mijn horloge. Het is tien over half elf. We zullen nu wel zo in München zijn.

13

Dikke Felix verheft zijn stem. Zijn ogen zijn op het raam gericht.

'Denken jullie dat wij net zo dapper zijn als die oude man in dat boek?' vraagt hij. 'Ook in tijden dat we verliezen?'

'We zijn allemaal dapper,' antwoordt Janosch.

'Maar waarom zijn we dat?' wil dikke Felix weten.

'Waar ligt de grens tussen "moedig" en "dapper"?'

'Daar bestaat geen grens tussen,' antwoordt Florian, die ze allemaal alleen met *meisje* aanspreken. 'Ieder mens is zowel moedig als dapper.'

'En waarom dat?' vraagt dikke Felix.

'Omdat ieder mens 's ochtends wakker wordt en in het leven stapt,' legt dunne Felix uit. 'Zonder zich voor zijn kop te schieten. Dat is zowel moedig als dapper.'

'En waarom ziet niemand dat, of zegt het?' vraagt Bolle.

'Omdat het vanzelfsprekend is geworden,' reageert Janosch.

'Vanzelfsprekend?' wil dikke Felix weten. 'Waarom is alles vanzelfsprekend in deze wereld? Waarom wordt altijd overal van uitgegaan? Dat we in het leven stappen. Dat we de ene voet voor de andere zetten. Waarom is dat zo normaal? In welk boek staat dat verdomme? En welke klootzak heeft dat uitgegeven?'

'Die klootzak heet Onze Lieve Heer,' antwoordt Sambraus en fronst zijn wenkbrauwen. Sambraus is okay, vindt dikke Felix. Hij heeft in Rosenheim een goed gesprek met hem gehad. Over het leven. Zijn komaf.

Sambraus heeft in Neuseelen op kostschool gezeten. Het moet een vreselijke tijd voor hem zijn geweest. Hij voelde zich opgesloten en wilde het liefst naar huis terug. En toen hij weer thuis was, ging het helemaal niet meer. Opeens miste hij het geregelde leven op het internaat. In de Tweede Wereldoorlog was Sambraus aan het Russische front. Na de oorlog verhuisde hij met zijn verloofde, die hij had leren kennen op vakantie, naar Neuseelen. Daar zijn ze ook getrouwd. In 1977 is zijn vrouw overleden. Aan kanker. Hij heeft haar begraven op het kerkhof van Neuseelen. Omdat zij zo van dat dorp hield. Daarna is Sambraus blijkbaar doorgedraaid. Ging naar de hoeren en zo. Heeft zijn zorgen gewoon weggeneukt. In München heeft hij zelfs een woning boven een stripteasetent betrokken. Daar woont hij nog steeds. En al twintig jaar lang gaat hij om de dag naar Neuseelen, naar het graf, elke keer met een grote bos rode rozen. De lievelingsbloemen van zijn vrouw.

'En waarom doet Onze Lieve Heer zoiets?' vraagt Bolle en balt zijn handen tot vuisten.

'Omdat alles op de wereld moet gebeuren volgens een bepaald schema,' legt Sambraus uit. En dat schema luidt: zien om te zien. Horen om te horen. Begrijpen om te begrijpen. En lopen om te lopen. Dus loop, jongen! Loop!'

Dikke Felix drukt zijn gezicht tegen het raam. Er ontstaan grote donkere vlekken. Uit de luidsprekers klinkt de krassende stem van de conducteur: 'Over enkele minuten arriveren we op het centraalstation van München.'

Achter de ramen ligt München. Ik sta bij de deur. Janosch, Troy en de anderen staan achter me. We rijden het centraalstation binnen. De dikke rugzak van Bolle blijft bijna steken tussen twee stoelen. Naast ons staat een blonde man met een herdershond. Hij ziet er moe uit.

'Nu is het zover,' zegt Janosch.

'Wat is er zover?' vraag ik.

'Nou, de sigaren,' antwoordt Janosch. 'We rijden München binnen. Nu moeten we ze opsteken. Wij, twee helden. Gewoon, net als in *Independence Day*.'

Hij haalt ze te voorschijn uit zijn zak. Het zijn goedkope sigaren. Van Agno. Maar dat doet er niet toe. Hij geeft mij er een en steekt de andere in zijn mond. Wacht tot ik hetzelfde doe. Dan steekt hij ze aan. Het bordje *Verboden te roken* interesseert hem niet. En de blonde man ook niet. Gretig trekt hij aan zijn sigaar. De blonde knipoogt. Ik wend me af. Ik rook in een nis. De sigaar smaakt walgelijk. Ik zal blij zijn als ik hem opgerookt heb. De herdershond niest. Ik heb met hem te doen. Zijn zachtaardige ogen kijken me aan. Ik draai me weer om.

'Ben jij eigenlijk bang voor de dood?' vraag ik Janosch.

'Een jongere is nooit bang voor de dood,' antwoordt hij.

'Echt niet?' vraag ik.

'Echt niet,' zegt Janosch. 'Een jongere wordt pas bang voor de dood wanneer hij geen jongere meer is. Voor die tijd moet hij gewoon leven. Dan denkt hij niet aan de dood.'

'Hoe komt het dan dat ík bang ben voor de dood?' vraag ik.

'Bij jou is dat anders,' legt Janosch uit.

'O? En wat is het dan bij mij?' vraag ik.

'Bij jou is het de zee!' zegt Janosch.

'De zee?' vraag ik.

'De zee van angst. Daar moet je een keer van af. Weet je, in jouw wereld zijn er zoveel dingen die jou kapot willen maken. De scheiding van je ouders. Of de kostschool. Of andere figuren. Probeer niet jezelf kapot te maken! Dat zou zonde zijn, weet je!'

Janosch trekt aan zijn sigaar. Ik kijk naar hem op. Ik bewonder hem. Dat heb ik nog nooit tegen hem gezegd, maar ik bewonder hem. Janosch is het leven. Het licht. En de zon. En als er een God bestaat, dan spreekt hij via hem. Dat weet ik. En hij moet hem zegenen. De trein komt tot stilstand. We zijn er. De deuren gaan open. De blonde met zijn herdershond springt als eerste het perron op. Daarna stappen Janosch en ik uit. Ik zie de hond in het gewoel verdwijnen. Hij is lief. Hij heeft zijn neus naar de grond gericht. Moe en lusteloos strompelt hij voort naast zijn kameraad. Het laatste dat ik van hem zie is zijn staart. Een borstelige pluk haar die recht naar de grond wijst.

Ik moet aan ónze hond denken. Charlie. Een sint-bernhardbastaard. Zijn vader was een monster. Zijn moeder ook. Geen wonder dat hij meer dan een meter hoog werd. Twee jaar geleden is hij gestorven. Voor mij lijkt het wel een eeuwigheid. Charlie was een vriend. Een grote steun in moeilijke tijden. Soms ging ik bij hem liggen, als ik 's nachts niet kon slapen. En het buiten onweerde. Ik hield niet van onweer. Charlie liet dat koud. Hij was een rots. Waar ik me achter kon verstoppen. Altijd en overal. Ik zal zijn gehijg nooit vergeten. Zijn neus trok samen. Als een spons. Hij voelde zacht aan. Alles aan hem voelde zacht aan. Zijn oren leken wel watten. En zijn buik was een groot schip dat rees en daalde. Al naar gelang de weersomstandigheden. Ik herinner me onze laatste nacht nog goed. Charlie had weer bloed gespuugd. Ik sliep samen met hem in de badkamer, op een ligstoel. Maar daar hield ik het niet lang uit. Ik kroop naast hem. Sliep verder op een handdoek. Het ging die nacht nogal beroerd met Charlie. Hij rochelde en kotste bloed. En het enige dat ik voor hem kon doen, was bij hem zijn. Een arm om hem heen slaan. En dat deed ik ook. Ik sloeg mijn arm om hem heen en bad. Ik bad dat ik dit dier niet zou verliezen. Charlie heeft me altijd beschermd. In het bijzijn van Charlie noemde niemand me mankepoot. Daar kon ik op rekenen. Ik maakte extra lange wandelingen met hem door wijken waar veel jongeren woonden. En de mensen die me zagen hadden ontzag voor me. Want ik had hém. Charlie. Mijn hond. Mijn rots. Als ik eenzaam was, speelden we altijd hetzelfde spel. Het ringspel. Ik gooide een tien centimeter brede plastic ring in de lucht en Charlie ving hem op. Eigenlijk was het een nogal saai spel. Maar het was nu eenmaal het spel. Ons spel. En soms speelden we het de hele dag. Die nacht, twee jaar geleden, toen onze hond doodging, was God er zeker even niet helemaal bij met zijn hoofd. Want hij hoorde mijn smeekbeden niet. 's Ochtends tegen vier uur stierf Charlie. Het grote en machtige schip rees en daalde nog een keer. Toen verstarde het in zijn beweging. Charlies ogen braken. Hij was precies even oud als ik. Veertien. Toen we hem kregen, was ik nog een baby. Maar ik herinner me hem nog. En zolang ik dat blijf doen, leeft Charlie. Op de een of andere manier. Nog dezelfde dag hebben we hem in een weiland begraven. De hele familie was erbij. Iedereen huilde. Alleen mijn moeder niet. Zij kon Charlie niet goed uitstaan. Ze zag hem altijd als een groot gevaar voor mij. Bovendien bracht hij veel werk met zich mee. Mijn vader daarentegen mocht hem wel graag. Die twee konden het goed vinden. Mijn vader had hem zijn naam gegeven. Hij was naar Charlie Watts vernoemd. De drummer van de Rolling Stones. Als onze hond er nog was, zou ik hem nu vast opzoeken. Maar dat is allemaal voorbij. De tijd houdt geen rekening met mij. En ook niet met Charlie. Mijn rots.

'Smaakt dat niet naar leven?' vraagt Janosch en trekt aan zijn Agno-sigaar. De anderen staan nu ook op het perron. Aan hun ogen zie ik dat ze tamelijk uitgeput zijn. Vermoeid voegen ze zich bij de mensenmassa. Het perron is groter dan dat in Rosenheim. Het is minstens tien meter breed en strekt zich uit over een lengte van wel honderd meter. Op de stenen vloer veroorzaakt iedere stap een vreemd ketsend geluid. Dikke Felix heeft er plezier in. Lachend stampt hij met zijn rechtervoet op de grond. Ook rond deze tijd zijn hier nog veel mensen. Voornamelijk jongeren. Met z'n tweeën of in groepjes slenteren ze langs de perrons. Sommigen om te roken of te drinken. En sommigen gewoon om hier te zijn. Om anderen te ontmoeten. Om het vermoeiende leven een beetje jeu te geven. Voor een reclamebord liggen twee zwervers op de grond. Hun gezichten zijn door het leven getekend. Onder de schrammen en littekens. Een van hen kijkt naar mij op. Hij heeft lang wit haar en een rossige snor. Hij slaat zijn arm om zijn makker heen. Ik denk dat die twee zo in slaap vallen. Ik geef hun wat geld. Ik kan er niet langs lopen zonder hun iets te geven. Ik ga weer terug naar Janosch en de anderen. Ze geven Sambraus net het geld voor de kaartjes terug dat hij had voorgeschoten.

'Ik had altijd gedacht dat het leven anders smaakte,' zeg ik en trek aan mijn Agno-sigaar. Zware, donkere rook kringelt omhoog.

'O? Hoe dacht jij dan dat het smaakte?' vraagt Janosch.

'En beetje zoeter misschien,' antwoord ik. 'Per slot van rekening zijn er ook zoete dingen in het leven.'

'Waar haal je dat soort flauwekul vandaan? Zoet is hooguit mijn chocoladebolus, maar het leven toch niet,' merkt Bolle op. 'Is het jullie eigenlijk opgevallen dat wij nogal veel onzin uitkramen de laatste tijd?'

'Wij kramen altijd veel onzin uit,' zegt dunne Felix.

'Ja,' merkt Bolle op. Maar we zijn er niet om onzin uit te kramen, maar om onzin uit te halen! Dus, laten we eens beginnen!'

'Bolle heeft gelijk,' antwoordt Janosch. 'Vooruit. We gaan!'

En zo lopen we dan met z'n allen door de hal van het centraalstation in München. Die is vrij groot. Je ziet overal winkels. Er is zelfs een seksbioscoop. Dikke Felix staat met zijn neus tegen een filmaffiche gedrukt. *Huis der lusten*. Er staat een zwarte vrouw op die haar benen spreidt. Ze heeft alleen een rood slipje aan. Over haar borsten loopt een witte balk. Bolle vindt dat een schandaal. Hij moppert.

'Kom nou maar!' zegt Janosch. 'We gaan toch naar een striptease-tent! Daar zijn echte wijven! Bewaar je geilheid maar voor later!'

'Ik mag mijn geilheid zolang bewaren als ík wil,' zegt dikke Felix. Hij blijft bij de affiches staan. Wij lopen alvast vooruit. Sambraus voorop. Achter hem dunne Felix en Janosch. Florian, Troy en ik komen als laatsten.

Troy kijkt verbaasd. Zijn ogen schitteren.

'En, bevalt het je?' vraag ik.

'Ja, het bevalt me,' antwoordt Troy. 'Langzamerhand krijg ik op de een of andere manier het gevoel dat ik leef!'

'Dat heb je mooi gezegd,' merk ik op.

Florian, die ze allemaal alleen met *meisje* aanspreken, loopt snel naar voren, naar de anderen.

'Troy kan praten!' hoor ik hem opgewonden door de hal gillen.

'Echt waar?'

De anderen draaien zich naar ons om. Uit het achterste stuk van de stationshal komt Felix aanrennen.

14

'Heb jij eigenlijk een invalidenkaart?' vraagt Janosch als we in de metro stappen. We hoeven maar vier haltes. Tot station Münchener Freiheit. Dat duurt niet lang. Behalve ons zit er niemand in het treinstel. We gaan zitten.

'Nee,' antwoord ik.

'Waarom niet?' wil dikke Felix weten.

'Ik krijg er geen,' zeg ik. 'Ze zeggen dat ik niet invalide ben. Ik kan immers lopen, hebben ze gezegd.'

'Zijn ze nou helemaal gek geworden?' vraagt Janosch. 'Hebben ze je dan niet onderzocht?'

'Nee,' antwoord ik. 'Maar eerlijk gezegd zit ik helemaal niet te wachten op zo'n invalidenkaart. Wat zou ik er mee moeten? Laten zien dat ik een mankepoot ben?'

'Maar je hebt me laatst toch zelf verteld dat je evenwichtsstoornissen hebt,' werpt Janosch tegen. 'Dat kan gevaarlijk zijn. In de metro bijvoorbeeld. Als hij helemaal vol is. Daarom zijn er van die invalidenplaatsen. Die zijn nu juist voor jou gemaakt!'

'Bovendien zou je overal goedkoper binnen kunnen komen,' voegt dikke Felix eraan toe. 'In een seksbioscoop bijvoorbeeld!'

'Je hebt het gewoon verdiend,' merkt Janosch op. 'Je bent er namelijk best ellendig aan toe met je handicap, weet je dat eigenlijk wel? Dan kunnen ze je toch best schadeloos stellen. Maar dat interesseert hun natuurlijk niet. Typisch overheid.'

'Het is helemaal niet de overheid, maar de sociale dienst,' antwoord ik.

'Toch, zijn het dezelfde figuren,' antwoordt Janosch. 'Gewoon overheid.'

'Wat bedoel je eigenlijk met overheid?' vraagt dikke Felix.

'Dat weet niemand precies,' antwoordt Florian. 'In zeker opzicht de mensen die alles regelen, geloof ik. Die bepalen wat recht en wat onrecht is.'

'En waar zijn die goed voor?' vraagt dikke Felix.

'Nou ja, per slot van rekening leggen ze wegen aan en dat soort dingen,' merkt Janosch op. 'En metro's. Volgens mij zouden we zonder hen hier helemaal niet zitten.'

'Maar zijn het niet ook de mensen aan wie we al die complotten te danken hebben?' vraagt Bolle. 'De mensen die verzwijgen dat *aliens* bestaan?'

'Ja, volgens mij zijn dat dezelfde,' antwoordt Florian. 'En ze stoppen de misdadigers in de gevangenis.'

'Potverdomme, wat doen ze verder nog?' vraagt dikke Felix. 'Het is echt vreselijk. En wat voor rol spelen wij in dat complot?'

'Wij zijn de mensen,' antwoordt dunne Felix.

'Wat zijn die anderen dan als wij de mensen zijn?' vraagt Bolle.

Dunne Felix denkt na. Hij draait met zijn ogen. Hij drukt zijn handen tegen elkaar. 'De anderen zijn de gróte mensen,' zegt hij ten slotte.

'De gróte mensen?' herhaalt Bolle. 'Net als in die complotfilms?'

'Nou ja,' werpt Janosch tegen. 'Een film is maar een film. De werkelijkheid is toch weer heel iets anders.'

'En toch zijn films *crazy*,' brengt dikke Felix te berde. 'Heeft iemand van jullie *Pulp Fiction* gezien?'

'Iedereen heeft *Pulp Fiction* gezien,' antwoordt Janosch. 'Zo geweldig was die nu ook weer niet.'

'Ken jij dan een betere film?' vraagt Florian.

'*Braveheart*,' zegt Janosch. 'Die is goed. Mel Gibson is *crazy*. Bovendien hou ik van Schotland.'

'Waarom hou je uitgerekend van Schotland?' vraag ik.

'Ik denk dat het er in Schotland uitziet zoals het ook in de hemel moet zijn.'

'Waarom dat?' vraag ik

'Nou ja, er zijn veel planten.'

'Zijn er veel planten?' herhaal ik. 'Denk je dan dat er in de hemel veel planten zijn?'

'In de hemel is alles,' zegt Janosch. 'En in Schotland ook. Daar wordt het landschap tegen de mensen beschermd door het weer.'

'Hoezo?' wil dikke Felix weten.

'Omdat het er voortdurend regent,' legt Janosch uit.

'En sinds wanneer vlucht jij voor de mensen?' wil dunne Felix weten.

'Sinds het hier te vol is,' antwoordt Janosch. 'Het is hier gewoon te benauwd. Soms heb ik het gevoel dat ik niet meer kan ademen. Het is een afgrijselijk gevoel. In Schotland heb ik dat niet. In Schotland ben ik vrij.'

'Volgens mij moeten we een keer samen naar de film gaan,' antwoordt dikke Felix.

'Waarom wil je nou juist naar de film?' wil Janosch weten.

'Nou ja, films vertellen toch iets over het leven, of niet?' vraagt Bolle.

'Volgens mij vertelt de weg náár de film meer over het leven,' antwoordt Janosch.

'Weten jullie tot welk inzicht ik na deze discussie ben gekomen?' vraag ik.

'Lebert is tot een inzicht gekomen,' zegt Janosch.

'Welk inzicht?' vraagt dikke Felix.

'Dat de wereld *crazy* is,' antwoord ik.

'Daar heb je gelijk in,' zegt Janosch. '*Crazy* en mooi. En je moet elke seconde benutten.'

De anderen slaan me op mijn rug.

15

De stripteasetent waar Sambraus boven woont heet uitgerekend Leberts Eisen. Als ik met hem naar de ingang loop, wachten de jongens me lachend op. Ik heb even met Sambraus gepraat. Over het leven. En over zijn tijd. Hij zou heel graag zijn oude kostschoolkameraad terugvinden, zei hij. Xaver Mils. Later zou hij proberen of hij hem in het telefoonboek kon vinden. We leken erg op hem. Vooral Janosch. Sambraus zei dat Mils het beslist heel leuk zou vinden ons te leren kennen. Bovendien waren ze elkaar al in geen jaren meer tegen het lijf gelopen. Het werd weer eens tijd, zei Sambraus.

Ik denk dat Sambraus een aardige vent is. Ook Janosch heeft dat intussen ingezien. In de metro hebben die twee een paar woorden gewisseld. Maar Bolle denkt nog steeds dat Sambraus een malloot is. Hij heeft waarschijnlijk gelijk. Maar hij is een goedaardige malloot. En volgens mij heeft hij ook het een en ander achter de rug in zijn leven. Dat zie je al aan zijn behuizing. De stripteasetent ligt in een zijstraat. Het is een oud pand van drie verdiepingen. De muren zijn grauw en afgebladderd. Boven de begane grond hangt een neonreclame met het voornoemde opschrift *Leberts Eisen*. De tekst is driedimensionaal, de roze letters staan dicht bij elkaar. Ernaast zie je een neonfiguurtje in de vorm van een blote vrouw. Haar armen en benen bewegen. Ze glanzen in het licht van de koplampen van de auto's.

'Waarom heb je ons niet verteld dat je bent overgestapt naar de seksindustrie?' vraagt Janosch en barst in schaterlachen uit.

'Het moest een verrassing zijn,' antwoord ik.

'Dat is je gelukt,' zegt dikke Felix.

'Leberts Eisen, hè? Benjamin, je bent *crazy*!'

En zo gaan we de stripteasetent in. Binnen is het bedompt. Ik krijg nauwelijks lucht. Wanhopig sper ik mijn mond open. Over de vloer zweeft witte mist. De muren zijn roze. Om de halve meter een plaatje van een blote vrouw. In een neonlijst. Groen. Rechts bevindt zich een podium van misschien twee meter hoog. Het is zwart. Aan de linker- en de rechterkant is er een ijzeren stang. Die loopt van het plafond tot op de vloer van het podium. Een rood gordijn vormt de achtergrond van het podium. Erboven hangt een klein scherm. Een terugtelklok. Van 60 naar 0. Op het moment staat hij op 53. Tegenover het podium is de bar. Er staat een grote brede man achter, die de drankjes uitdeelt. Hij heeft een volle bruine baard en kleine, snelle ogen. Zijn wenkbrauwen zijn vol en ruig, zijn voorhoofd zit vol rimpels. Achter de enorme man staan heel veel flessen in rijen. Voornamelijk whisky, wijn en andere alcoholhoudende dranken. Aan de bar zitten vijf mannen. Vermoeid en afgepeigerd kijken ze naar het scherm. Dat is inmiddels bij 49 aangekomen. In totaal zijn er misschien vijftig mensen. Het is vrij klein. Iedereen zit op barkrukken aan hoge ronde tafels in het midden van het vertrek. De meesten hebben hun benen over elkaar geslagen. Ze kijken steeds weer stiekem naar het scherm. 45. Uit de luidsprekers schalt muziek uit de jaren zeventig. Een dj van twintig zet de platen op. Hij heeft natuurlijk geblondeerd haar. Hij draagt een leren pak. Onder het jasje is af en toe een Simply Red T-shirt te zien. Hij heeft een glad gezicht zonder rimpels. Hij heeft twee platenspelers voor zich. Ernaast liggen platenhoezen en een microfoon. De dj heeft een zwarte koptelefoon op. Uit de luidsprekers klinkt 'It's allright' van Supertramp. Op het scherm licht inmiddels 42 op. De brede man achter de bar kijkt op als hij ons ziet aankomen. Zijn blik valt op Sambraus. Dan glimlacht hij.

'Sammy! Wie heb je nou weer op sleeptouw?' vraagt hij.

'Zes jongens van de kostschool in Neuseelen,' antwoordt Sambraus. 'Ze zijn vandaag weggelopen. Toen dacht ik bij mezelf, laat ik ze maar meenemen naar die goeie ouwe Charlie. Dan krijgen ze ook eens wat te zien. Dit hier zijn Janosch, Troy, Felix, Florian, nog een keer Felix en Benni! Jongens! Maak kennis met de eerbiedwaardige Charlie Lebert!'

'Charlie Lebert?' vraagt Janosch. 'Aangenaam.' Hij barst in schaterlachen uit.

Op het scherm verschijnt het getal 31.

'Jongens! Bij mij zijn jullie veilig,' zegt Lebert. 'We maken er vanavond een echte party van! Als jullie een wens hebben, zeg het maar! Allereerst: wat willen jullie drinken?'

'Baccardi-cola voor iedereen,' zegt Janosch.

'Op mijn rekening,' vult Sambraus aan.

'Bedankt,' zegt Bolle. 'Maar ik heb nog een vraag.'

'Vraag maar!' antwoordt Charlie Lebert. Zijn stem klinkt zwaar.

'Denkt u dat ik op de een of andere manier varkensrollade zou kunnen krijgen?' vraagt Felix.

'Varkensrollade?' herhaalt Lebert. 'Dit is een striptease-tent.'

'Weet ik wel,' antwoordt Felix, 'Maar het zou kunnen dat u dat had. Ik heb namelijk nogal... honger!'

'Nou vooruit, ik zal eens zien wat ik kan doen. Hier zijn eerst jullie baco's.'

Hij zet ze op de tapkast. Lange rode glazen met rietje en een drijvende citroen. De jongens slaan het drankje zo snel mogelijk achterover. Sambraus betaalt. Ik neem de tijd.

Er komt een halfblote vrouw op ons af. Ze heeft een blauw-wit slipje aan met rode glitterstrepen. Haar bovenstuk bedekt amper haar tepels. Het is van blauw bont. In haar lange bruine haar glinstert rode confetti. Haar fijne gezicht is indrukwekkend opgemaakt.

'Sammy! Wie zijn die schattige kerels naast je?' vraagt ze. Op het scherm is nu nummer 22 te zien.

'Hé, Laura!' antwoordt Sambraus. 'Wat fijn jou weer te zien! Dit zijn kostschoolleerlingen. Ze zijn weggelopen. Ik heb ze hier mee naartoe genomen.'

'Het zijn echt mooie kerels,' zegt Laura. 'Vooral die daar!' Ze wijst naar mij. Ze komt met haar grote borsten op me af waggelen. Streelt over mijn haar.

'Over twee jaar ben jij echt een mooie man, weet je dat?' Haar stem klinkt warm. Ik kijk in haar decolleté. De jongens zijn verrukt. Ze kijken hun ogen uit. De baccardi moedigt hen waarschijnlijk aan. Janosch slaat zijn arm om Laura's middel.

'U gaat op een gegeven moment toch ook dat podium op of niet?' vraagt hij hoopvol.

'Jazeker,' antwoordt ze. 'Direct na Angélique. Ik dans alleen voor jullie. Voor jullie schatjes!'

Janosch' oren worden donkerrood. Hij kijkt naar de grond.

'Laura! Je bederft mijn jongens toch niet, hè?' zegt Lebert en lacht.

'Nee, hoor,' antwoordt ze. 'En ik moet nu toch gaan. Het beste dan! Veel plezier nog, schatjes! En kom niet te dicht bij Sammy! Hij is een tijger!'

Ze lacht en verdwijnt in de menigte. Aan haar achterkant is er haast geen slipje te zien. Je ziet haar kont. Ik zou wel in die kont willen wegzinken. De jongens vergaat het precies eender. Allemaal gapen we haar na. Sambraus en Lebert lachen. Haar kont is een beetje gebruind. En wijst omhoog. De billen plakken haast aan elkaar. Het ziet er sexy uit. Op het scherm verschijnt een grote 10. Die is groter dan de andere getallen. Janosch werpt zijn armen in de lucht.

'Eindelijk begint het!' gilt hij. 'God, ik dank u dat ik leef!' Hij bestelt nog een rondje baccardi. Naar onze leeftijd vraagt Lebert niet. Hij glimlacht eigenlijk alleen de hele tijd. Waarschijnlijk heeft hij gewoon een goeie bui. Hij schenkt baccardi bij. Ik moet het glas dat ik heb laten staan snel naar binnen werken. Dat doet me geen goed. Alles begint te draaien. Ik snak naar adem. De anderen hebben hun tweede glas al op. Eigenlijk wil ik het mijne nog bewaren. Maar dikke Felix giet het in mijn keel. Ik word helemaal warm vanbinnen. Ik voel mijn hart bonken. Het voelt aan als hameren. Ik nies. Moet aan Laura denken. En aan mijn moeder. Hopelijk gaat het goed met haar. En hopelijk maakt ze zich niet al te veel zorgen. Ik zou nu eigenlijk naar haar toe kunnen gaan. Maar ik doe het niet. Het zou toch niet veel opleveren. Opeens wordt het donker. Op het scherm verschijnt een grote 1. Ik zwaai heen en weer. Janosch geeft een harde gil. Er worden minstens vier armen om me heen geslagen. Ik wankel met het gewicht van minstens zes mensen op het podium af. Dikke Felix gooit nog iets in mijn keel. Het smaakt naar bier. Maar heeft een nasmaak. Uit de luidsprekers klinkt de heldere stem van de dj. Hij wordt in mijn kop geramd. 'Vandaag voor de vijfde keer voor jullie: Angélique!' 'The way you make me feel' van Michael Jackson borrelt op onder mijn voeten. De jongens gillen. Ik word in de hoogte getrokken. Struikel. Ik zie het gezicht van Janosch.

'Lebert! Deze avond vergeet ik nooit. Dat zeg ik je! En jouw naam ook niet.'

Hij woelt met zijn hand in mijn haardos. Glimlacht. Zo

heb ik Janosch nog nooit eerder zien glimlachen. En zo zal ik hem ook nooit meer zien glimlachen. Troy. De blijdschap staat in zijn gezicht gegrift. Met grote, dikke punaises. En ook dikke Felix lacht. Hij springt hoog de lucht in. Sleurt me mee. Hij kan haast niet wachten tot Angélique komt. Er wordt een dijbeen belicht. Dan nog een. Ten slotte de hele vrouw. Angélique. Ze heeft een zwart mannenkostuum aan. Haar heupen zwieren rond. Ze heeft zwart haar. Het valt tot in haar hals. Ze heeft een fijn en puur gezicht. Er glanzen kleine bruine ogen in. Met een beetje geluk is ze een meter zestig. Ze staat op hoge hakken. Zwarte suède schoenen. Ze vlijt haar rechterbeen rond een van de ijzeren stangen. Maakt haar broek los. Angélique glijdt langs de stang omlaag. Vanuit het publiek klinken rauwe kreten. Ook Janosch gilt. Hij woelt met zijn handen door zijn haar. Grijpt Felix' rug vast. We springen in de hoogte. Angélique draagt onder haar broek een zwart slipje. Ze likt aan haar vinger en laat hem naar binnen glijden. Speelt een beetje. Haar bruine ogen draaien weg. Ik krijg een stijve. Hij drukt tegen mijn spijkerbroek.

Ik voel me geweldig. Alles om me heen draait. Alles kan me gestolen worden. De vriendin van mijn vader met haar weelderige boezem. De angst van mijn moeder. De liefde van mijn zus. Ik wil alleen nog naar Angélique op het podium. Haar kont likken. Janosch drukt een briefje van tien in mijn hand.

'Wedden dat je niet het podium op durft om dat geld in haar slipje te stoppen?'

'En of ik dat durf,' antwoord ik.

'Samen?' vraagt Janosch.

'Samen,' bevestig ik.

We wringen ons door de rijen heen. Intussen zie ik alles

al driedubbel. Janosch ondersteunt me. We trillen. Voor het podium blijven we staan. Angélique heeft haar colbertje laten vallen. Ze heeft alleen nog een getijgerd bikinibovenstukje aan. Haar huid glanst. Ik kom haast klaar. Ik voel de grond onder mijn voeten niet meer. Janosch omklemt mijn schouder. Hij probeert oogcontact te krijgen met Angélique. Mijn hoofd gloeit. Het bovenstukje van haar bikini valt op de grond. Ik zie Angéliques tieten. Het liefst zou ik sterven. Het lijken wel twee perziken. Rond en mooi. De tepels zijn donkerrood. Het publiek gaat tekeer. Florian en de anderen komen naar voren lopen. Dikke Felix giet iets in mijn keel, het smaakt naar anijs. Het brouwsel brandt in mijn keel. Florian en Troy porren me het podium op. Janosch stuift achter me aan. Het publiek lacht. Het briefje van tien trilt in mijn hand. Nu zit ik op mijn knieën. Voor me beweegt Angéliques navel. Ik zie haar bezwete huid. Ruik haar bijna. Angélique legt mijn handen om haar heupen. Ze zakken erin weg. Haar tieten lijken naar links en rechts uit te dijen. Mijn voorhoofd stoot tegen haar buik. Achter in het publiek is een woedende oude man opgestaan.

'Van wie zijn die kinderen?' vraagt hij. 'Gooi ze van het podium!'

Sambraus steekt zijn hand op. 'Ze horen bij mij.'

De woedende man houdt zijn mond. Ontstemd gaat hij weer op zijn barkruk zitten.

'Nou, schiet op!' zegt Janosch. Zijn stem trilt. Woest schudt hij zijn hoofd. Slaat het achterover. Zijn hand strijkt over de vloer. 'We kunnen het.'

Langzaam gaat hij staan. Ik beweeg met mijn hand rond Angéliques navel. Het briefje van tien maakt iedere beweging mee. Geleidelijk aan beweeg ik mijn hand omlaag. Ik steek mijn pink in haar slipje. Trek het een beetje van de huid

af. Janosch haalt diep adem. Ik sjor het slipje ver naar beneden en gooi het geld erin. Een moment lang hou ik het slipje zo vast. Ik bekijk Angéliques kut. Ik zie hem maar vaag.
Haar schaamhaar is zwart. In de vorm van een pijl gescho-
ren. Janosch buigt over me heen. Ook hij werpt een blik in
haar slipje. Ik haal mijn pink weg. Laat haar slipje terug-
schieten. Snel petst het tegen haar huid. Ik glijd van het podium. Ik ben misselijk.

De muziek explodeert in mijn oren. Duizenden mensen
dringen naar het podium. Ik zie ze alleen nog als schaduwen. Ik zie Janosch van het podium vallen. Hij schatert. In
een hoek zit Troy. Voor hem staat een glas witbier. Hij bekijkt Angélique, die juist haar slipje het publiek in gooit. In
dezelfde hoek zit dikke Felix. Voor hem staat een enorm stuk
varkensrollade. Hij grijnst van oor tot oor.

'Wat wil je nog meer?' zegt hij. 'Mooie vrouwen en lekker
eten. Volgens mij ben ik in het paradijs.'

Hij stopt een volle vork varkensvlees in zijn mond. Troy
lacht.

'Jullie weten wel dat jullie de besten zijn, hè?' vraag ik. 'De
besten die ik ooit heb gehad.'

'Ja, ja,' antwoordt Bolle. 'Dat weten we. Je bent dronken.'

'Misschien wel,' reageer ik. 'Maar jullie weten dat jullie de
besten zijn, de besten die ik ooit heb gehad.'

'Ja, en jij bent ook de beste die wij ooit hebben gehad,' zegt
Bolle geïrriteerd. 'Dat weten we!'

'Je bent zelfs de allerbeste!' merkt Troy op. Hij lacht weer.

'Wij zijn allemaal de besten,' antwoord ik. 'Helden. *Crazy.*'
Janosch strompelt op ons af.

Sambraus staat in de hoek voor een kaarttelefoon. Zijn
mond is wijd opengesperd. Zijn ogen zijn leeg. En afwezig.

Ik weet dat ik niets weet. Ik doe mijn ogen open. De achterbank waarop ik me bevind is van bruin leer. Op de achterkant van de voorbank staat het merkteken van Alfa Romeo. Ook op het stuur zie ik het. Het is zwart. Charlie Lebert wrijft er vermoeid met zijn hand over. We steken een kruispunt over. Sambraus zit naast Lebert. Hij wijst met zijn vinger in verschillende richtingen. Ik deel de achterbank met de jongens. Ze slapen bijna allemaal. Alleen Bolle en dunne Felix zijn wakker. Ze drukken hun gezicht tegen de raampjes. Het is vrij krap hier. De achterbank is maar op vier mensen berekend. Troy en Janosch zitten boven op elkaar. Ze slapen allebei. Janosch' mond staat open. Af en toe schiet zijn felrode tong naar buiten. Florian heeft zich tegen zijn schouder aangedrukt. Ik geeuw. Mijn hoofd doet pijn. Buiten schijnt de felle zon. Ik kijk op mijn horloge. Het is negen over tien.

'Waar gaan we naartoe?' vraag ik.

'Naar het kerkhof,' antwoordt Sambraus. 'Daar ligt mijn kostschoolgenoot Xaver Mils. Hij is overleden, dat heb ik gisteren gehoord.'

Sambraus slikt.

'En hoe ben ik in die auto terechtgekomen?' vraag ik.

'Lebert heeft je gedragen,' antwoordt hij. 'Je was niet wakker te krijgen. Bij de anderen lukte het wel. Alleen bij jou niet. Dus moesten we je naar de auto dragen. We rijden erna per slot van rekening meteen terug naar Neuseelen.'

'Meteen terug naar Neuseelen?' herhaal ik geprikkeld.

'Ja,' antwoordt Sambraus. 'We vertellen ze dat wij jullie hebben gevonden.'

'Gevonden, waar?' vraag ik ontdaan.

'Nou, in het dorp,' zegt Sambraus. 'Jullie zijn gewoon het dorp ingegaan en zijn de tijd vergeten. En na elf uur kun je toch niet meer terug naar het internaat. Want dan zijn de poorten al op slot.'

'En u denkt dat ze dat geloven? En bellen dan?' Ik maak met mijn rechterhand het gebaar van een telefoonhoorn.

'Natuurlijk geloven ze jullie. Er was gewoon geen telefoon of zo. Bovendien was het al laat.'

'Of dat lukt?' wil ik weten.

'Dat lukt,' antwoordt Lebert. 'Jullie verontschuldigen je voor de commotie die jullie hebben veroorzaakt... en dan lukt het wel! Het was immers maar één nacht!'

En dan slaat hij een zijstraat in.

Ik haal mijn hand door mijn haar. Mijn hoofd doet pijn. Alleen al de gedachte aan teruggaan naar Neuseelen maakt me misselijk. Ik buig opzij.

'Je hebt zeker behoorlijk getetterd de afgelopen nacht,' zegt Lebert. Hij draait zich naar me om. 'Bij Angélique was je geloof ik aardig op dreef. Maar van Laura heb je niks meer gezien. En ze heeft nog wel zo haar best gedaan. Nou ja, in ieder geval hebben de anderen nog iets aan haar gehad!' Hij wijst naar de jongens.

'Hoe gaat het met je hoofd?' vraagt hij dan.

'Is okay,' antwoord ik. Ik lieg. Wring mijn handen ineen.

Dikke Felix draait zich naar mij om. Zijn ogen staan glazig. Zijn wangen zijn rood. Zijn haar zit in de war.

'Het spijt me,' zegt hij. En steekt allebei zijn armen uit. 'Ik ben bang dat ik weer iets moet vragen. Ik vraag nogal eens iets. Ik weet het.'

'Maak je maar niet druk,' antwoord ik. 'Je moet vragen stellen. Anders zou je veel dingen niet begrijpen. Maar ik weet niet of ik ze voor je kan beantwoorden. Want soms zijn het de antwoorden zelf, die je niet begrijpt.'

'Wat was dat allemaal?' vraagt dikke Felix. 'Onze ontsnapping uit het internaat. Onze vlucht. De reis met de bus? Met de trein? Met de metro? De stripteasetent? Waar was dat allemaal voor? Waar was het goed voor? Hoe zou je het kunnen omschrijven. Als het leven?'

Ik denk na. Het is allemaal een beetje te veel voor mijn gekwelde kop. Ik haal diep adem. Doe mijn mond open: 'Ik denk dat je het kunt opvatten als een verhaal,' antwoord ik. 'Als een verhaal dat het leven heeft geschreven.'

Ik pers mijn lippen opeen. Het zweet loopt over mijn voorhoofd. Bolle zet grote ogen op. Hij wrijft erover met zijn hand.

'Was het een goed verhaal?' vraagt hij. 'Waar ging het over? Over vriendschap? Over avonturen?'

'Het ging over ons,' antwoord ik. 'Het was een kostschoolverhaal. Ons kostschoolverhaal.'

'Zijn er veel verhalen in het leven?' vraagt dikke Felix.

'Heel veel,' antwoord ik. 'Er zijn verhalen over blijdschap en verdriet. En er zijn andere verhalen. En elk verhaal is anders.'

'En waar moeten we onze kostschoolverhalen plaatsen?' vraagt Bolle.

'Nergens,' antwoord ik. 'Zoals je eigenlijk geen enkel verhaal ergens kunt plaatsen. Ze liggen allemaal op verschillende plekken.'

'En waar liggen ze dan?' vraagt dikke Felix.

'Ik denk op de levensweg,' antwoord ik.

'Ligt ons meidenverhaal van vier maanden geleden ook op de levensweg?' vraagt Bolle.

'Ja,' antwoord ik.

'En waar zijn we op dit moment?' wil hij weten.

'Op de levensweg,' luidt mijn antwoord.

'En we maken en vinden... nieuwe verhalen.'

Dikke Felix drukt zijn hoofd weer tegen de ruit. Zijn ogen zoeken iets.

Het kerkhof is klein. Het graf ook. Er staan haast geen planten op. De grafsteen is grijs en vierkant. De letters erop zijn oud. Alsof ze nog uit de vorige eeuw zijn. Xaver Mils moet een erg arme man zijn geweest. Zijn initialen worden bewaakt door een wit kindeke Jezus. Het kijkt streng naar ons op. Sambraus zit op zijn hurken voor het graf. Hij legt er een bos witte rozen op. Lebert staat naast hem. De jongens en ik blijven op de achtergrond. Janosch voegt zich als laatste bij ons. Hij staat te piekeren. Zijn haar zit in de war. Janosch geeuwt. Hij komt naast ons staan.

'Ouwe, ik ben te laat!' zegt Sambraus in de richting van de grafsteen. 'Ik weet het. Maar nu ben ik er. Ik heb een paar kostschoolleerlingen meegenomen. De nieuwe generatie. Je zou trots op ze zijn geweest. En mijn oude vriend Charlie. Die is echt okay...'

Op dat moment raakt dikke Felix me even aan. Zijn vermoeide ogen kijken naar me op.

'Eindigt elk verhaal zo?' vraagt hij.

'Ja, ik denk dat elk verhaal zo eindigt,' antwoord ik. 'Maar wie weet. Misschien begint er op die manier ook een nieuw verhaal. Dat kunnen wij niet bepalen. Alles wat we kunnen doen is kijken. Wachten en kijken. Wat er op ons afkomt. En misschien begint daarmee weer een nieuw verhaal.'

16

Hoe moet je het leven op het internaat beschrijven? Dat is behoorlijk lastig, vind ik. Het is nu eenmaal ook maar een leven. Zoals er zoveel levens zijn op deze grote wereld. Ik weet alleen dat je een internaat niet vergeet. Geen moment. Of dat goed is of niet, dat moeten anderen maar bepalen. Het enige dat ik er van mijn kant over kan zeggen is dat je afhankelijk bent van saamhorigheid. De eeuwige saamhorigheid. Samen leven. Samen eten. Je samen aftrekken. Ik spreek uit ervaring. Zelfs huilen moet je samen. Doe je namelijk iets in je eentje, dan komt er meteen iemand binnen die het samen met je doet. Ik denk dat het niet anders kan. Soms zou je wel dood willen. En soms voel je een dubbele portie leven in je. Hoe moet je het leven in het internaat beschrijven? Aan alles komt een eind. Dat weet ik nu.

De bagage staat voor het bed. Janosch heeft me geholpen met inpakken. Drie koffers en een tas. Nu staan ze netjes op een rij. Klaar voor vertrek. Ik slik. Het ziet er hier opeens nogal leeg uit. De muren zijn kaal. Op de bureaus ligt niks meer. Er gaat een vreemd gevoel door mijn lichaam. Ik leg mijn rechterhand op mijn bezwete voorhoofd.

Het is dus weer eens een vier voor wiskunde geworden. En bovendien nog een vijf voor Duits. Dat is genoeg. Ik ga niet over. Ik moet van het internaat af. Ze hebben mijn ouders bij wijze van afscheid een gepeperde brief geschreven:

Uw zoon is er helaas niet toe in staat. Bovendien veroorzaakte
hij veel overlast en werd hij vaak erg laat op de meisjesgang ge-
signaleerd.

Over tien minuten komt mijn vader me ophalen. Zolang heb
ik nog tijd om afscheid te nemen van Janosch en de jongens.
Zij mogen morgen pas vertrekken voor de zomervakantie.
Zoals iedereen hier. Mijn vader stond erop dat hij me vandaag al kon ophalen. Een dag voor het einde van het schooljaar. Dat hebben ze door de vingers gezien. Waarschijnlijk
weten ze niet hoe gauw ze van me af moeten komen. Ik kan
het ze niet kwalijk nemen. Dikke Felix vraagt hoe mijn toekomst eruitziet. Hij slaat zijn arm om mijn schouder. Ik
glimlach. Ik denk dat mijn toekomst er tamelijk rooskleurig
uitziet. Ik ga bij mijn vader wonen. Hij is inmiddels het huis
uit. Heeft een kleine driekamerwoning gehuurd. Op de grens
tussen de wijken Schwabing en Milbertshofen. Het schijnt
dat je daar veel jongeren hebt, heeft hij gezegd. Precies wat
ik nodig heb. Ik verheug me er al op. Ik moet aan Matthias
Bochow denken. Binnenkort moet ik naar een speciale
school. In Neuperlach. Je krijgt daar heel weinig wiskunde,
heeft mijn moeder gezegd. Maar eerlijk gezegd wil ik er niet
naartoe. Ik wil niet altijd de nieuwe zijn. De nieuwe met zijn
brief in zijn hand. Goddank is het geen kostschool. 's Middags kan ik naar huis. Huilen. Lachen. Gelukkig zijn. Binnenkort word ik zeventien. Ik heb gehoord dat er dan iets
verandert in je leven, onherroepelijk. En bij mij zal dat ook
wel zo zijn. Mijn fysiotherapeute zegt dat ze een radicale ver-
slechtering heeft geconstateerd. Wat mijn eenzijdige spasme
betreft. Mijn linkerhand draait steeds verder naar binnen.
En mijn voet ook. Op een gegeven moment kan ik misschien
niet meer lopen, zegt ze. Het is eigenlijk al een wonder dat

ik dat ooit heb geleerd. Maar ik leef tenminste nog. En zolang ik leef, gaat alles op de een of andere manier verder, denk ik. Dat heeft tenminste een van die filosofen gezegd. Maar het klopt vast en zeker. Tijdens het laatste weekend dat ik thuis was heb ik een meisje leren kennen. Dat was misschien een begin. Maar ik weet het niet. Eigenlijk vond ze me nogal eigenaardig, zei ze. En toen ik haar vertelde dat veel meisjes dat tegen me zeggen, vond ze dat pas echt eigenaardig. Ik weet niet of het iets wordt. Als u wilt, kunt u me een keertje komen opzoeken. In Schwabing. Na al die onzin hier moet u me eigenlijk best goed kennen. U kunt me vast makkelijk vinden. Ik ben die jongen die op een verdachte manier met zijn linkerbeen trekt. In mensenmassa's kom ik zelden. Hooguit helemaal achteraan. In de staart. Behalve als ik met mijn vader bij een concert van de Rolling Stones ben. Dan sta ik helemaal vooraan. Bij het podium. Mijn vader is altijd bang dat hij iets mist. Maar de Stones gaan de komende tijd toch niet op tournee. Sinds het afscheidsfeest op Neuseelen heb ik mijn haar geblondeerd. Dat heb ik samen met de jongens gedaan. We zien er nu echt grappig uit. Als broers. Janosch vindt het *crazy*. Hij staat bij de vensterbank. Leunt er met zijn ellebogen op. Kalmpjes wiegt hij heen en weer. Draait zich om. Fronst zijn voorhoofd.

'Beloof je me dat je oppast?' zegt hij.

'Kijk naar me!' antwoord ik. 'Zie ik eruit alsof ik niet oppas?'

Janosch lacht. Hij doet drie stappen mijn kant op. Drukt mijn lichaam tegen zich aan.

'Kom ons eens opzoeken, wil je?' zegt hij

'Natuurlijk,' antwoord ik. Ik pak de reistas. Loop naar de twee Felixen toe. Druk me tegen hen aan. 'Wees voorzichtig, jongens,' zeg ik. De twee Felixen kijken me aan.

'Het beste, ouwe jongen! Geloof in jezelf!' zegt Bolle. Dunne Felix knikt en geeft me een hand. Ik ga op Florian af, die ze allemaal alleen met *meisje* aanspreken. Omhels hem.

'We hebben samen grappige dingen meegemaakt, of niet?' vraag ik.

'Heel grappige dingen,' antwoordt hij. 'Tot ziens, Benni!'

Ik ga naar Troy. Hij boort zijn hoofd in mijn buik.

'Ga je eigen weg,' zegt hij. Hij geeft me een hand.

'Tot kijk, Troy!' antwoord ik.

In de deuropening staan Anna en Malen. Ze vallen me om de beurt om de hals. Ze hebben een afscheidskaart voor me getekend die ze in mijn reistas stoppen. Marie is niet gekomen. Maar dat had ik niet anders verwacht. Vijf minuten daarna komt mijn vader opdagen. Hij komt met snelle passen binnen, pakt de rest van de bagage en gaat meteen de kamer weer uit. Ik zwaai naar de anderen en loop hem achterna. Draai me nog een keer om. Door de openstaande deur zie ik mijn vrienden. Ik steek mijn rechterhand op. Dan loop ik door de hoerenvleugel achter mijn vader aan. Hij houdt de deur naar het trappenhuis voor me open. Daar lopen we Richter, de directeur tegen het lijf.

'Prettige vakantie,' bromt hij binnensmonds. Hij loopt straal langs ons heen. Door de Landorf-gang. We lopen de trap af. Het is een lange trap. Als we beneden zijn, zet ik de reistas op de grond. Ik ben uitgeput.

Ik dank Kerstin Gleba hartelijk voor alles